台灣南島語言⑧

魯凱語參考語法

齊莉莎 Zeitoun Elizabeth ◎著

遠流

台灣南島語言⑧

魯凱語參考語法

作　　者／齊莉莎 (Zeitoun Elizabeth)

發 行 人／王榮文

出版發行／遠流出版事業股份有限公司

　　　　　臺北市南昌路二段81號6樓

　　　　　郵撥／0189456-1　電話／2392-6899

　　　　　傳眞／2392-6658

香港發行／遠流（香港）出版公司

　　　　　香港北角英皇道310號雲華大廈4樓505室

　　　　　電話／2508-9048　傳眞／2503-3258

　　　　　香港售價／港幣66元

法律顧問／王秀哲律師・董安丹律師

著作權顧問／蕭雄淋律師

2000年3月1日　初版一刷

2005年1月1日　初版二刷

行政院新聞局局版臺業字第1295號

新台幣售價200元　（缺頁或破損的書，請寄回更換）

ISBN　957-32-3894-2

YLib 遠流博識網

http://www.ylib.com　　　　E-mail:ylib@ylib.com

《獻辭》

　　我們一同將這套叢書獻給台灣的原住民同胞，感謝他們帶給世人無比豐厚的感動。

　　我們也將這套叢書獻給李壬癸先生，感謝他帶領我們走進台灣原住民語言的天地，讓我們懂得怎樣去領受這份豐厚的感動。這套叢書同時也作為一份獻禮，恭祝李先生六十歲的華誕。

何大安　吳靜蘭　林英津　張永利　張秀絹
張郇慧　黃美金　楊秀芳　葉美利　齊莉莎

一同敬獻
中華民國 88 年 11 月 12 日

《台灣南島語言》序

　　她的美麗，大家都知道；所以人人稱她「福爾摩莎」。美麗的事物，應當珍惜；所以作者們合寫了這一套叢書。

　　聲音之中，母親的言語最美麗。這套叢書，正是為維護台灣原住民的母語而寫的。解嚴以後，台灣語言生態的維護與重建，受到普遍的重視；母語教學的活動，也相繼熱烈的展開。教育部顧問室於是在民國 84 年，委託國立台灣師範大學英語系的黃美金教授規劃一部教材，以作為與維護台灣原住民母語有關的教學活動的基礎參考資料。黃教授組織了一支高水準的工作隊伍，經過多年的努力，終於完成了這項開創性的工作。

　　台灣原住民的語言雖然很多，但是都屬於一個地理分布非常廣大的語言家族，我們稱為「南島語族」。從比較語言學的觀點來說，台灣南島語甚至是整個南島語中最具存古特徵、也因此是最足珍貴的一些語言。然而儘管語言學家對台灣南島語的研究持續不斷，他們研究的多半是專門的問題，發表的成果也多半以外文為之，同時研究的深度也各個語言不一；因此都不適合直接用於母語教學。這套叢書的編寫，等於是一個全新的開始：作者們親自調查語

言、親自分析語言；也因此提出了一個全新的呈現：一致的體例、相同的深度。這在台灣原住民語言的研究和維護上，是一項創舉。

現在我把這套叢書的作者和他們各自撰寫的語言專書列在下面，向他們致上敬意與謝意：

黃美金教授	泰雅語、卑南語、邵語
林英津教授	巴則海語
張郇慧教授	雅美語
齊莉莎教授	鄒語、魯凱語、布農語
張永利教授	噶瑪蘭語、賽德克語
葉美利教授	賽夏語
張秀絹教授	排灣語
吳靜蘭教授	阿美語

也謝謝他們的好意，讓我與楊秀芳教授有攀附驥尾的榮幸，合寫這套叢書的「導論」。我同時也要感謝支持這項規劃案的教育部顧問室陳文村主任，以及協助出版的遠流出版公司。台灣原住民的語言，不止上面所列的那些；母語維護的工作，也不僅僅是出版一套叢書而已。不過，涓滴可以匯成大海。只要有心，只要不間斷的努力，她的美麗，終將亙古如新。

何大安　謹序
教育部諮議委員
中央研究院研究員
民國 88 年 11 月 12 日

語言、知識與原住民文化

　　研究語言的學者大都同意：南島語言是世界上分佈最廣的語族，而台灣原住民各族的族語則保留了南島語最古老的形式，它是台灣最寶貴的文化資產。

　　然而由於種種歷史因果的影響，十九世紀末，廣泛的平埔族各族語言，因長期漢化的緣故，逐漸喪失了活力；而花蓮、台東一帶，以及中央山脈兩側所謂的原住民九族地區，近百年來，則由於日本及國府國族中心主義之有效統治，在社會、經濟、文化、風俗習慣、生活方式乃至主體意識等各方面都發生了前所未有的結構性改變，原住民各族的語言生態，因而遭到嚴重的破壞。事隔一百年，台灣原住民各族似乎也面臨了重蹈平埔族覆轍之命運，喑啞而漸次失語。

　　語言的斷裂不只關涉到文化存續的問題，還侵蝕了原住民的主體世界。祖孫無法交談，家族的記憶和情感紐帶難以銜接；主體無能以族語說話，民族的認同失去了強而有力的憑藉。語言的失落，事實上也是一個民族的失落，他失去了他存有的安宅。除非清楚地認識這一點，我們無法真正地瞭解當代原住民精神世界苦難的本質。

　　四百年來，對台灣原住民語言的記錄和研究並不完全是空白的。荷蘭時代和歷代熱心傳教的基督教士，爲我們留下了斷斷續續的線索。他們創制了拼音文字，翻譯族語聖經，記錄了原住民的歌謠。日據時代，更有大量的人類學田野記錄，將原住民的神話傳說、文化風習保存了下來。然而後來關鍵的這五十年，由於特殊的政治和歷史環境，台灣的學術界從未將目光投注到這些片段的文獻上，不但沒有持續進行記錄的工作，甚至將前人的研究束諸高閣，連消化的興趣都沒有。李壬癸教授多年前形容自己在南島語言研究的旅途上，是孤單寂寞，是千山我獨行；這種心情，常讓我聯想到自己民族的黃昏處境，寂寥空漠、錐心不已。

　　所幸民國六十年代起，台灣本土化意識漸成主流，原住民議題浮上歷史抬面，有關原住民的學術研究也成爲一種新的風潮。我們是否可以因而樂觀地說：「原住民學已經確立了呢？」我認爲要回答這個提問，至少必須先解決三個問題：

　　第一，　前代文獻的校讎、研究與消化。過去零星的資料和日據時代田野工作的成果，基礎不一、良莠不齊，需要我們以新的方法、眼光和技術，進行校勘、批判和融會。

　　第二，　對種種意識型態的敏感度及其超越。民國六十年代以來，台灣原住民文化、歷史的研究頗爲蓬勃。原住民知識體系的建構，隨著台灣的政治意識型態的發展，也

形成了若干知識興趣。先是「政治正確」的知識，舉凡符
合各自政治立場的原住民文化、歷史論述，即成為原住民
知識。其次是「本土正確」的知識，以本土性作為知識建
構的前提或合法性基礎的原住民知識。最後是「身份正確」
的知識，越來越多的原住民作者以第一人稱的身份發言，
並以此宣稱其知識的確實性。這三種知識所撐開的原住民
知識系統，各有其票面價值，但對「原住民學」的建立是
相當有害的。我們必須保持對這些知識陷阱的敏感度並加
以超越。

第三，原住民經典的彙集。過去原住民知識之所以無
法累積，主要是因為原典沒有確立。典範不在，知識的建
構便沒有源頭，既無法返本開新，也難以萬流歸宗。如何
將原住民的祭典文學、神話傳說、禮儀制度以及部落歷史
等等刪訂集結，實在關係著原住民知識傳統的建立。

不過，除了第二點有關意識型態的問題外，第一、三
點都密切地關聯到語言的問題。文獻的校勘、注釋、翻譯
和原住民經典的整理彙編，都歸結到各族語言的處理。這
當中有拼音文字之確定問題，有各族語言音韻特徵或規律
之掌握問題，更有詞彙結構、句法結構的解析問題；充分
把握各族的語言，上述兩點的工作才可能有堅實的學術基
礎。學術挺立，總總意識型態的糾纏便可以有客觀、公開
的評斷。

基於這樣的理解，我認為《台灣南島語言》叢書的刊

行，標誌著一個新的里程碑，它不但可以有效地協助保存原住民各族的語言，也可以促使整個南島語言的研究持續邁進，並讓原住民的文化或所謂原住民學提昇到嚴密的學術殿堂。以此為基礎，我相信我們還可以進一步編訂各族更詳盡的辭典，並發展出一套有用的族語教材，為原住民語言生態的復振，提供積極的條件。

沒有任何人有權力消滅或放棄一個語言，每一族母語都是祖先的恩賜。身為原住民的一份子，面對自己語言的殘破狀況，雖說棋局已殘，但依舊壯心不已。對所有本叢書的撰寫人，以及不計盈虧的出版家，恭敬行禮，感佩至深。

孫大川　謹序
行政院原住民委員會副主任委員
民國 89 年 2 月 3 日

目　錄

圖 表 目 錄

語音符號對照表

　　下表為本套叢書各書中所採用的語音符號，及其相對的國際音標、國語注音符號對照表：

	本叢書採用之符號	國際音標	相對國語注音符號	發 音 解 說	特別出處示例
元	i	i	ㄧ	高前元音	
	ʉ	ʉ	ㄜ	高央元音	鄒語
	u	u	ㄨ	高後元音	
	e	e	ㄝ	中前元音	
	oe	œ		中前元音	賽夏語
音	e	ə	ㄜ	中央元音	
	o	o	ㄛ	中後元音	
	ae	æ		低前元音	賽夏語
	a	a	ㄚ	低央元音	
輔	p	p	ㄅ	雙唇不送氣清塞音	
	t	t	ㄉ	舌尖不送氣清塞音	
	c	ts	ㄗ	舌尖不送氣清塞擦音	泰雅語
	T	ṭ		捲舌不送氣清塞音	卑南語
	t́	c		硬顎清塞音	叢書導論
	tj				排灣語
	k	k	ㄍ	舌根不送氣清塞音	
音	q	q		小舌不送氣清塞音	泰雅語
	’	ʔ		喉塞音	泰雅語
	b	b		雙唇濁塞音	賽德克語
		ɓ		雙唇濁前帶喉塞音	鄒語

	本叢書採用之符號	國際音標	相對國語注音符號	發 音 解 說	出處示例
輔	d	d		舌尖濁塞音	賽德克語
		ɗ		舌尖濁前帶喉塞音	鄒語
	D	ɖ		捲舌濁塞音	卑南語
	ɗ́	ɟ		硬顎濁塞音	叢書導論
	dj				排灣語
	g	g		舌根濁塞音	賽德克語
	f	f	ㄈ	唇齒清擦音	鄒語
	th	θ		齒間清擦音	魯凱語
	s	s	ㄙ	舌尖清擦音	泰雅語
	S	ʃ		齦顎清擦音	邵語
	x	x	ㄏ	舌根清擦音	泰雅語
	h	χ		小舌清擦音	布農語
		h	ㄏ	喉清擦音	鄒語
	b	β		雙唇濁擦音	泰雅語
	v	v		唇齒濁擦音	排灣語
	z	ð		齒間濁擦音	魯凱語
		z		舌尖濁擦音	排灣語
	g	ɣ		舌根濁擦音	泰雅語
	R	ʁ		小舌濁擦音	噶瑪蘭語
	m	m	ㄇ	雙唇鼻音	泰雅語
	n	n	ㄋ	舌尖鼻音	泰雅語
音	ng	ŋ	ㄥ	舌根鼻音	泰雅語
	d				阿美語
	l	ɬ		舌尖清邊音	魯凱語
	L				邵語
	l	l	ㄌ	舌尖濁邊音	泰雅語
	L	ɭ		捲舌濁邊音	卑南語

	本叢書採用之符號	國際音標	相對國語注音符號	發　音　解　說	出處示例
輔音	ĺ	ʎ		硬顎邊音	叢書導論
	lj				排灣語
	r	r		舌尖顫音	阿美語
		ɾ		舌尖閃音	噶瑪蘭語
	w	w	ㄨ	雙唇滑音	阿美語
	y	j	ㄧ	硬顎滑音	阿美語

南島語與台灣南島語

何大安　楊秀芳

一、南島語的分布

　　台灣原住民的語言，屬於一個分布廣大的語言家族：「南島語族」。這個語族西自非洲東南的馬達加斯加，東到南美洲西方外海的復活島；北起台灣，南抵紐西蘭；橫跨了印度洋和太平洋。在這個範圍之內大部分島嶼—新幾內亞中部山地的巴布亞新幾內亞除外—的原住民的語言，都來自同一個南島語族。地圖 1（附於本章參考書目後）顯示了南島語族的地理分布。

　　南島語族中有多少語言，現在還很不容易回答。這是因為一方面語言和方言難以分別，一方面也還有一些地區的語言缺乏記錄。不過保守地說有 500 種以上的語言、使用的人約兩億，大概是學者們所能同意的。

　　南島語是世界上分布最廣的語族，佔有了地球大半的洋面地區。那麼南島語的原始居民又是如何、以及經過了

多少階段的遷徙，才成為今天這樣的分布狀態呢？

　　根據考古學的推測，大約從公元前 4,000 年開始，南島民族以台灣為起點，經由航海，向南遷徙。他們先到菲律賓群島。大約在公元前 3,000 年前後，從菲律賓遷到婆羅洲。遷徙的隊伍在公元前 2,500 年左右分成東西兩路。西路在公元前 2,000 年和公元前 1,000 年之間先後擴及於沙勞越、爪哇、蘇門答臘、馬來半島等地，大約在公元前後橫越了印度洋到達馬達加斯加。東路在公元前 2,000 年之後的一千多年當中，陸續在西里伯、新幾內亞、關島、美拉尼西亞等地蕃衍生息，然後在公元前 200 年進入密克羅尼西亞、公元 300 年到 400 年之間擴散到夏威夷群島和整個南太平洋，最終在公元 800 年時到達最南端的紐西蘭。從最北的台灣到最南的紐西蘭，這一趟移民之旅，走了 4,800 年。

　　台灣是否就是南島民族的起源地，這也是個還有爭論的問題。考古學的證據指出，公元前 4,000 年台灣和大陸東南沿海屬於同一個考古文化圈，而且這個考古文化和今天台灣的原住民文化一脈相承沒有斷層，顯示台灣原住民居住台灣的時間之早、之久，也暗示了南島民族源自大陸東南沿海的可能。台灣為南島民族最早的擴散地，本章第三節會從語言學的觀點加以說明。但是由於大陸東南沿海並沒有南島語的遺跡可循，這個地區作為南島民族起源地的說法，目前卻苦無有力的語言學證據。

　　何以能說這麼廣大地區的語言屬於同一個語言家族呢？確認語言的親屬關係，最重要的方法，就是找出有音韻和語義對應關係的同源詞。我們可以拿台灣原住民的排灣語、菲律賓的塔加洛語、和南太平洋斐濟共和國的斐濟語為例，來說明同源詞的比較方法。表 0.1 是這幾個語言部份同源詞的清單。

表 0.1 排灣語、塔加洛語、斐濟語同源詞表

	原始南島語	排　灣　語	塔加洛語	斐　濟　語	語　義
1	*dalan	ɖalan	daán	sala	路
2	*ɖamaɦ	ka-ɖama-ɖama-n	damag	ra-rama	火炬；光
3	*ɖanau	ɖanaw	danaw	nrano	湖
4	*jataɦ	ka-daɬa-n	latag	nrata	平的
5	*ɖusa	ɖusa	da-lawá	rua	二
6	*-inaɦ	k-ina	ina	t-ina	母親
7	*kan	k-əm-an	kain	kan-a	吃
8	*kagac	k-əm-ac	k-ag-at	kat-ia	咬
9	*kaśuy	kasiw	kahoy	kaðu	樹；柴
10	*vəlaq	vəlaq	bila	mbola	撕開
11	*qudaɬ	qudaɬ	ulán	uða	雨
12	*təbus	təvus	tubo	ndovu	甘蔗
13	*ʈalis	calis	taali?	tali	線；繩索
14	*tuduq	ʈ-aɬ-uɖuq-an	túro?	vaka-tusa	指；手指

15	*unəm	unəm	ʔa-nʔom	ono	六
16	*walu	alu	walo	walu	八
17	*maca	maca	mata	mata	眼睛
18	*daga[]¹	ɗaq	dugoʔ	nraa	血
19	*baquɦ	vaqu-an	báago	vou	新的

　　表 0.1 中的 19 個詞，三種語言固然語義接近，音韻形式也在相似中帶有規則性。例如「原始南島語」的一個輔音*t，三種語言在所有帶這個音的詞彙中「反映」都一樣是「t̂：t：t」（如例 12 '甘蔗'、 14 '指；手指'）；「原始南島語」的一個輔音*c，三種語言在所有帶這個音的詞彙中反映都一樣是「c：t：t」（如 8 '咬'、17 '眼睛'）。這就構成了同源詞的規則的對應。如果語言之間有規則的對應相當的多，或者至少多到足以使人相信不是巧合，那麼就可以判定這些語言來自同一個語言家族。

　　絕大多數的南島民族都沒有創製代表自己語言的文字。印尼加里曼丹東部的古戴、和西爪哇的多羅摩曾出土公元 400 年左右的石碑，不過上面所鑴刻的卻是梵文。在蘇門答臘的巨港、邦加島、占卑附近出土的四塊立於公元 683 年至 686 年的碑銘，則使用南印度的跋羅婆字母。這些是僅見的早期南島民族的碑文。碑文顯示的語詞和現代馬來語、印尼語接近，但也有大量的梵文借詞，可見兩種

---

¹ 在本叢書導論中凡有 [] 標記者，乃指該字音位不明確。

文化接觸之早。現在南島民族普遍使用羅馬拼音文字，則是 16、17 世紀以後西方傳教士東來後所帶來的影響。沒有自己的文字，歷史便難以記錄。因此南島民族的早期歷史，只有靠考古學、人類學、語言學的方法，才能作部份的復原。表 0.1 中的「原始南島語」，就是出於語言學家的構擬。

二、南島語的語言學特徵

南島語有許多重要的語言學特徵，我們分音韻、構詞、句法三方面各舉一兩個顯著例子來說明。首先來看音韻。

觀察表 0.1 的那些同源詞，我們就可以發現：南島語是一個沒有聲調的多音節語言。當然，這句話不能說得太滿，例如新幾內亞的加本語就發展出了聲調。不過絕大多數的南島語大概都具有這項共同特點，而這是與我們所說的國語、閩南語、客語等漢語不一樣的。

許多南島語以輕重音區別一個詞當中不同的音節。這種輕重音的分布，或者是有規則的，例如排灣語的主要重音都出現在一個詞的倒數第二個音節，因而可以從拼寫法上省去；或者是不盡規則的，例如塔加洛語，拼寫上就必須加以註明。

詞當中的音節組成，如果以 C 代表輔音、V 代表元音

的話，大體都是 CV 或是 CVC。同一個音節中有成串輔音群的很少。台灣的鄒語是一個有成串輔音群的語言，不過該語言的輔音群卻可能是元音丟失後的結果。另外有一些南島語有「鼻音增生」的現象，並因此產生了帶鼻音的輔音群；這當然也是一種次生的輔音群。

　　大部分南島語言都只有 i、u、ə、a 四個元音和 ay、aw 等複元音。多於這四個元音的語言，所多出來的元音，多半也是演變的結果，或者是可預測的。除了一些台灣南島語之外，大部分南島語言的輔音，無論是數目上或是發音的部位或方法上，也都常見而簡單。有些台灣南島語有特殊的捲舌音、顎化音；而泰雅、排灣的小舌音 q，或是阿美語的咽壁音ʔ，更不容易在台灣以外的南島語中聽到。當輔音、元音相結合時，南島語和其他語言一樣，會有種種的變化。這些現象不勝枚舉，我們就不多加介紹。

　　其次來看構詞的特點。表 0.1 若干同源詞的拼寫方式告訴我們：南島語有像 ka-、ʔa-這樣的前綴、有-an、-a 這樣的後綴、以及有像-aĺ-、-əm-這樣的中綴。前綴、後綴、中綴統稱「詞綴」。以詞綴來造新詞或是表現一個詞的曲折變化，稱作加綴法。加綴法，是許多語言普遍採行的構詞法。像國語加「兒」、「子」、閩南語加「a」表示小稱，或是客語加「兜」表示複數，也是一種後綴附加。不過南島語有下面所舉的多層次附加，卻不是國語、閩南語、客語所有的。

　　比方台灣的卡那卡那富語有 puacacaʉnʉkankiai 這個詞，意思是‘（他）讓人走來走去’。這個詞的構成過程如下。首先，卡那卡那富語有一個語義為‘路’的「詞根」ca，附加了衍生動詞的成份 u 之後的 u-ca 就成了動詞‘走路’。u-ca 經過一次重疊成為 u-ca-ca，表示‘一直走、不停的走、走來走去’；u-ca-ca 再加上表示‘允許’的兩個詞綴 p-和-a-，就成了一個動詞‘讓人走來走去’的基本形式 p-u-a-ca-ca。這個基本形式稱為動詞的「詞幹」。詞幹是動詞時態或情貌等曲折變化的基礎。p-u-a-ca-ca 加上後綴 -ʉnʉ，表示動作的‘非完成貌’，完成了動詞的曲折變化。非完成貌的曲折形式 p-u-a-ca-ca-ʉnʉ再加上表示帶有副詞性質的‘直述’語氣的-kan 和表示人稱成份的‘第三人稱動作者’的-kiai 之後，就成了 p-u-a-ca-ca-ʉnʉ-kan-kiai ‘（他）讓人走來走去’這個完整的詞。請注意，卡那卡那富語‘路’的「詞根」ca 和表 0.1 的‘路’同根，讀者可以自行比較。

　　在上面那個例子的衍生過程中，我們還看到了另一種構詞的方式，就是重疊法。南島語常常用重疊來表示體積的微小、數量的眾多、動作的反復或持續進行，甚至還可以重疊人名以表示死者。相較之下，漢語中常見的複合法在南島語中所佔的比重不大。值得一提的是太平洋地區的「大洋語」中，有一種及物動詞與直接賓語結合的「動賓」複合過程，頗為普遍。例如斐濟語中 an-i a dalo 是‘吃芋

頭'的意思,是一個動賓詞組,可以分析為[[an-i][a dalo]];
an-a dalo 也是 '吃芋頭',但卻是一個動賓複合詞,必須分
析為[an-a-dalo]。動賓詞組和動賓複合詞的結構不同。動賓
詞組中動詞 an-i 的及物後綴-i 和賓語前的格位標記 a 都保
持的很完整,體現一般動詞組的標準形式;而動賓複合詞
卻直接以賓語替代了及物後綴,明顯的簡化了。

　　南島語句法上最重要的特徵是「焦點系統」的運作。
焦點系統是南島語獨有的句法特徵,保存這項特徵最完整
的,則屬台灣南島語。下面舉四個排灣語的句子來作說明。

1. q-əm-aĺup　　　a mamazaŋiljan ta vavuy i gadu
   [打獵-em-打獵　a 頭目　　　　ta 山豬　i 山上]
   '「頭目」在山上獵山豬'

2. qaĺup-ən na　　mamazaŋiljan a vavuy i gadu
   [打獵-en na　頭目　　　　　a 山豬　i 山上]
   '頭目在山上獵的是「山豬」'

3. qa-qaĺup-an　　　na　mamazaŋiljan ta vavuy a gadu
   [重疊-打獵-an　　na　頭目　　　　ta 山豬　a 山上]
   '頭目獵山豬的(地方)是「山上」'

4. si-qaĺup na mamazaŋiljan ta　vavuy a vaĺuq
   [si-打獵 na　頭目　　　　　ta　山豬　a 長矛]
   '頭目獵山豬的(工具)是「長矛」'

　　這四個句子的意思都差不多,不過訊息的「焦點」不
同。各句的焦點,依次分別是:「主事者」的頭目、「受事

者」的山豬、「處所」的山上、和「工具」的長矛;四個句子因此也就依次稱為「主事焦點」句、「受事焦點」句、「處所焦點」句、和「工具焦點(或稱指示焦點)」句。讀者一定已經發現,當句子的焦點不同時,動詞「打獵」的構詞形態也不同。歸納起來,動詞(表 0.2 用 V 表示動詞的詞幹)的焦點變化就有表 0.2 那樣的規則:

表 0.2 排灣語動詞焦點變化

主 事 焦 點		V-əm-	
受 事 焦 點			V-ən
處 所 焦 點			V-an
工 具 焦 點	si-V		

除了表 0.2 的動詞曲折變化之外,句子當中作為焦點的名詞之前,都帶有一個引領主語的格位標記 a,顯示這個焦點名詞就是這一句的主語。主事焦點句的主語就是主事者本身,其他三種焦點句的主語都不是主事者;這個時候主事者之前一律由表示領屬的格位標記 na 引領。由於有這樣的分別,因此四種焦點句也可以進一步分成「主事焦點」和「非主事焦點」兩類。照這樣看起來,「焦點系統」的運作不但需要動詞作曲折變化,而且還牽涉到焦點名詞與動詞變化之間的呼應,過程相當複雜。

以上所舉排灣語的例子,可以視為「焦點系統」的代表範例。許多南島語,尤其是台灣和菲律賓以外的南島語,「焦點系統」都發生了或多或少的變化。有的甚至在類型

上都從四分的「焦點系統」轉變爲二分的「主動/被動系統」。這一點本章第三節還會說明。像台灣的魯凱語，就是一個沒有「焦點系統」的語言。

句法特徵上還可以注意的是「詞序」。漢語中「狗咬貓」、「貓咬狗」意思的不同，是由漢語的「詞序」固定爲「主語-動詞-賓語」所決定的。比較起來，南島語的詞序大多都是「動詞-主語-賓語」或「動詞-賓語-主語」，排灣語的四個句子可以作爲例證。由於動詞和主語之間有形態的呼應，不會弄錯，所以主語的位置或前或後，沒有什麼不同。但是動詞居前，則是大部分南島語的通例。

三、台灣南島語的地位

台灣南島語是無比珍貴的，許多早期的南島語的特徵，只有在台灣南島語當中才看得到。這裡就音韻、句法各舉一個例子。

首先請比較表 0.1 當中三種南島語的同源詞。我們會發現有兩點值得注意。第一，斐濟語每一個詞都以元音收尾。排灣語、塔加洛語所有的輔音尾，斐濟語都丟掉了。其實塔加洛語也因爲個別輔音的弱化，如*q＞ʔ、ø 或是*s＞ʔ、ø，也簡省或丟失了一些輔音尾。但是排灣語的輔音尾卻保持的很完整。第二，塔加洛語、斐濟語的輔音比排

灣語為少。許多原始南島語中不同的輔音，排灣語仍保留區別，但是塔加洛語、斐濟語卻混而不分了。我們挑選「*c：*t」、「*ĺ：*n」兩組對比製成表 0.3 來觀察，就可以看到塔加洛語和斐濟語把原始南島語的*c、*t 混合為 t，把*ĺ、*n 混合為 n。

表 0.3 原始南島語*c、*t 的反映

原始南島語	排灣語	塔加洛語	斐濟語	表 0.1 中的同源詞例
*c	c	t	t	8 '咬'、17 '眼睛'
*t	t́	t	t	12 '甘蔗'、 14 '指'
*ĺ	ĺ	n	(n，字尾丟失)	11 '雨'
*n	n	n	n	3 '湖'、7 '吃'

　　我們認為，這兩點正可以說明台灣南島語要比台灣以外的南島語來得古老。因為原來沒有輔音尾的音節怎麼可能生出各種不同的輔音尾？原來沒有分別的 t 和 n 怎麼可能分裂出 c 和 ĺ？條件是什麼？假如我們找不出合理的條件解釋生出和分裂的由簡入繁的道理，那麼就必須承認：輔音尾、以及「*c：*t」、「*ĺ：*n」的區別，是原始南島語固有的，台灣以外的南島語將之合併、簡化了。

　　其次再從焦點系統的演化來看台灣南島語在句法上的存古特性。太平洋的斐濟語有一個句法上的特點，就是及物動詞要加後綴，並且還分「近指」、「遠指」。近指後綴是-i，如果主事者是第三人稱單數則是-a。遠指後綴是-aki，早期形式是*aken。何以及物動詞要加後綴，是一個有趣的

問題。

　　馬來語在形式上分別一個動詞的「主動」和「被動」。主動加前綴 meN-，被動加前綴 di-。meN-中大寫的 N，代表與詞幹第一個輔音位置相同的鼻音。同時不分主動、被動，如果所接的賓語具有「處所」的格位，動詞詞幹要加 -i 後綴；如果所接的賓語具有「工具」的格位，動詞詞幹要加-kan 後綴。何以會有這些形式上的分別，也頗令人玩味。

　　菲律賓的薩馬力諾語沒有動詞詞幹上明顯的主動和被動的分別，但是如果賓語帶有「受事」、「處所」、「工具」的格位，在被動式中動詞就要分別接上-a、-i、和-ʔi 的後綴，在主動式中則不必。為什麼被動式要加後綴而主動式不必、又為什麼後綴的分別恰好是這三種格位，也都值得一再追問。

　　斐濟、馬來、薩馬力諾都沒有焦點系統的「動詞曲折」與「格位呼應」。但是如果把它們上述的表現方式和排灣語的焦點系統擺在一起—也就是表 0.4—來看，這些表現法的來龍去脈也就一目瞭然。

表 0.4 焦點系統的演化

焦點類型	動詞詞綴	格 位 標 記				薩馬力諾語		馬來語		斐濟語
						主動	被動	主動	被動	主動
		主格	受格	處所格	工具格					
主事焦點	-əm-	a	ta	i	ta	-ø		meN-		-ø
受事焦點	-ən	na	a	i	ta		直接被動 -a		di-	
處所焦點	-an	na	ta	a	ta		處所被動 -i	及物 -i	及物 -i	及物近指 -i/-a
工具焦點	si-	na	ta	i	a		工具被動 -ʔi	及物 -kan	及物 -kan	及物遠指 -aki (<*aken)

孤立地看，薩馬力諾語為什麼要區別三種「被動」，很難理解。但是上文曾經指出：排灣語的四種焦點句原可分成「主事焦點」和「非主事焦點」兩類，「非主事焦點」包含「受事」、「處所」、「工具」三種焦點句。兩相比較，我們立刻發現：薩馬力諾語的三種「被動」，正好對應排灣語的三種「非主事焦點」；三種「被動」的後綴與排灣語格位標記的淵源關係也呼之欲出。馬來語一個動詞有不同的主動前綴和被動前綴，因此是比薩馬力諾語更能明顯表現主動／被

動的語法範疇的語言。很顯然，馬來語的及物後綴與薩馬力諾語被動句的後綴有相近的來源。斐濟語在「焦點」或「主動／被動」的形式上，無疑是大為簡化了；格位標記的功能也發生了轉變。但是疆界雖泯，遺跡猶存。斐濟語一定是在薩馬力諾語、馬來語的基礎上繼續演化的結果；她的及物動詞所以要加後綴、以及所加恰好不是其他的形式，實在其來有自。

表 0.4 反映的演化方向，一定是：「焦點」＞「主動／被動」＞「及物／不及物」。因為許多語法特徵只能因併繁而趨簡，卻無法反其道無中生有。這個道理，在上文談音韻現象時已經說明過了。因此「焦點系統」是南島語的早期特徵。台灣南島語之具有「焦點系統」，是一種語言學上的「存古」，顯示台灣南島語之古老。

由於台灣南島語保存了早期南島語的特徵，她在整個南島語中地位的重要，也就不言可喻。事實上幾乎所有的南島語學者都同意：台灣南島語在南島語的族譜排行上，位置最高，最接近始祖—也就是「原始南島語」。有爭議的只是：台灣的南島語言究竟整個是一個分支，還是應該分成幾個平行的分支。主張台灣的南島語言整個是一個分支的，可以稱為「台灣語假說」。這個假說認為，所有在台灣的南島語言都是來自一個相同的祖先：「原始台灣語」。原始台灣語與菲律賓、馬來、印尼等語言又來自同一個「原始西部語」。原始西部語，則是原始南島語的兩大分支之

一;在這以東的太平洋地區的語言,則是另一分支。這個假說,並沒有正確的表現出台灣南島語的存古特質,同時也過分簡單地認定台灣南島語只有一個來源。

替語言族譜排序,語言學家稱為「分群」。分群最重要的標準,是有沒有語言上的「創新」。一群有共同創新的語言,來自一個共同的祖先,形成一個家族中的分支;反之則否。我們在上文屢次提到台灣南島語的特質,乃是「存古」,而非創新。在另一方面,「台灣語假說」所提出的證據,如「*ś或*h音換位」或一些同源詞,不是反被證明為台灣以外語言的創新,就是存有爭議。因此「台灣語假說」是否能夠成立,深受學者質疑。

現在我們逐漸了解到,台灣地區的原住民社會,並不是一次移民就形成的。台灣的南島語言也有不同的時間層次。但是由於共處一地的時間已經很長,彼此的接觸也不可避免的形成了一些共通的相似處。當然,這種因接觸而產生的共通點,性質上是和語言發生學上的共同創新完全不同的。

比較謹慎的看法認為:台灣地區的南島語,本來就屬不同的分支,各自都來自原始南島語;反而是台灣以外的南島語都有上文所舉的音韻或句法上各種「簡化」的創新,應該合成一支。台灣地區的南島語,最少應該分成「泰雅群」、「鄒群」、「排灣群」三支,而台灣以外的一大支則稱為「馬玻語支」。依據這種主張所畫出來的南島語的族譜,

就是圖1。

圖1　南島語分群圖

　　與語族分支密切相關的一項課題，就是原始語言的復原。在台灣南島語的存古特質沒有被充分理解之前，原始南島語的復原，只能利用簡化後的語言的資料，其結果之缺乏解釋力可想而知。由於台灣南島語在保存早期特徵上的關鍵地位，利用台灣南島語建構出來的原始南島語的面貌，可信度就高的多。

　　我們認為：原始南島語是一個具有類似上文所介紹的「焦點系統」的語言，她有 i、u、ə、a 四個元音，和表 0.5 中的那些輔音。她的成詞形態，以及可復原的同源詞有表 0.6 中的那些。

表 0.5 原始南島語的輔音

		雙唇	舌尖	捲舌	舌面	舌根	小舌/喉
塞音	清	p	t	ṭ	t́	k	q
	濁	b	d	ḍ	d́		
塞擦音	清		c				
	濁		j				
擦音	清		s		ś	x	h
	濁		z		ź		ɦ
鼻音					ń	ŋ	
邊音			l		ĺ		
顫音			r				
滑音		w			y		

表 0.6 原始南島語同源詞

	語 義	原始南島語	原始泰雅群語	原始排灣語	原始鄒群語
1	above 上面	*babaw	*babaw	*vavaw	*-vavawu
2	alive 活的	*qujip		*pa-quzip	*-ʔ₂učípi
3*	ashes 灰	*qabu	*qabu-liq	*qavu	*(ʔ₂avuʔ₄u)
4**	back 背；背後	*likuj		*likuz	*(liku[cřč])
5	bamboo 竹子	*qaug		*qau	*ʔ₁áúru
6*	bark, skin 皮	*kulic		*kulic	*kulíci
7*	bite 咬	*kagac	*k-um-agac	*k-əm-ac	*k₁-um-áracə

8*	blood 血	*daga[]	*daga?	*ɖaq	*cará?$_1$ə
9*	bone 骨頭	*cuqəlaɬ		*cuqəlaɬ	*cu?úlaɬə
10	bow 弓	*buɬug	*buhug		*vusúru
11*	breast 乳房	*zuzuh	*nunuh	*tutu	*θuθu
12**	child 小孩	*alak		*alak	*-aɬákə
13	dark, dim 暗	*jəmjəm		*zəmzəm	*čəməčəmə
14	die, kill 死；殺	*macay		*macay *pa-pacay	*macáyi *pacáyi
15**	dig 挖	*kaliɸi	*kari?	*k-əm-ali	*-kálifii
16	dove, pigeon 鴿子	*punay		*punay	*punáyi
17*	ear 耳朵	*caliŋaɸi	*caŋira?	*caljŋa	*calíŋafia
18*	eat 吃	*kan	*kan	*k-əm-an	*k$_1$-um-ánə
19	eel 河鰻	*tuɬa	*tula-qig	*ɬuɬa	
20	eight 八	*walu		*alu (不規則，應爲 valu)	*wálu
21	elbow 手肘	*śikuɸi	*hiku?	*siku	
22	excrement 糞	*ʈaqi	*quti?	*caqi	*tá?$_3$i
23*	eye 眼睛	*maca		*maca	*macá
24	face, forehead 臉；額頭	*daqis	*daqis	*daqis	
25	fly 蒼蠅	*laŋaw	*raŋaw	*la-laŋaw	
26	farm, field 田	*qumaɸi		*quma	*?$_2$úmáfia
27**	father 父親	*amaɸi		*k-ama	*ámafia

28* fire 火	*śapuy	*hapuy	*sapuy	*apúžu
29** five 五	*lima	*rima?	*lima	*líma
30** flow, adrift 漂流	*qańud	*qaluic	*sə-qaɬud	*-ʔ₂añúču
31** four 四	*səpat	*səpat	*səpaɬ	*Sə́pátə
32 gall 膽	*qapədu		*qapədu	*paʔ₁azu
33* give 給	*bəgay	*bəgay	*pa-vai	
34 heat 熱的	*jaŋjaŋ		*zaŋzaŋ	*čaŋəčaŋə
35* horn 角	*təquŋ		*təquŋ	*suʔ₁úŋu
36 house 房子	*gumaq		*umaq	*rumáʔ₁ə
37 how many 多少	*pidaɸi	*piɠa?	*pida	*píaɸa
38* I 我	*(a)ku	*-aku?	*ku-	*ʻaku
39 lay mats 鋪蓆子	*sapag	*s-m-apag		*S-um-áparə
40 leak 漏	*tujiq	*tuduq	*ɬ-əm-uzuq	*tučúʔ₂₃₄
41** left 左	*wiri[]	*?iril	*ka-viri	*wíríɸii
42* liver 肝	*qacay		*qacay	*ʔ₁₄acayi
43* (head)louse 頭蝨	*kucuɸi	*kucu?	*kucu	*kúcúɸiu
44 moan 低吟	*jagiŋ		*z-əm-aiŋ	*-čaríŋi
45* moon 月亮	*bulal	*bural		*vulátə
46 mortar 臼	*ɬuɬuŋ	*luhuŋ		*ɬusuŋu
47** mother 母親	*-inaɸi		*k-ina	*inaɸia
48* name 名字	*ŋaɗan		*ŋadan	*ŋázánə
49 needle 針	*dagum	*dagum	*ɗaum	
50* new 新的	*baquɸi		*vaqu-an	*vaʔ₂órufu

51	nine 九	*siwa		*siva	*θiwa
52*	one 一	*-ta		*ita	*cáni
53	pandanus 露兜樹	*paŋuḍań	*paŋdan	*paŋudaɬ	
54	peck 啄,喙	*tuktuk	*[ʔg]-um-atuk	*ɬ-əm-ukɬuk	*-tukútúku
55*	person 人	*caw		*cawcaw	*cáw
56	pestle 杵	*qasəluɦ	*qasəruʔ	*qasəlu	
57	point to 指	*tuduq	*tuduq	*ɬ-aɬ-uḍuq-an	
58*	rain 雨	*quḍaɬ		*quḍaɬ	*ʔ₂účaɬə
59	rat 田鼠	*labaw		*ku-lavaw	*laváwu
60	rattan 藤	*quay	*quway	*quway	*ʔ₃úáyi
61	raw 生的	*mataq	*mataq	*maɬaq	*mátaʔ₁ə
62	rice 稻	*paḍay	*paǵay	*paday	*pázáyi
63	(husked) rice 米	*bugaɬ	*buwax	*vat	* (vərasə)
64*	road 路	*dalan	*daran	*ḍalan	*čalánə
65	roast 烤	*culuɦ		*c-əm-uɬu	*-cúɬuɦiu
66**	rope 繩子	*ṭalis		*calis	*talíSi
67	seaward 面海的	*laɦuj		*i-lauz	*-láɦiúcu
68*	see 看	*kita	*kitaʔ		*-kíta
69	seek 尋找	*kigim		*k-əm-im	*k-um-írimi
70	seven 七	*pitu	*ma-pituʔ	*piɬu	*pítu
71**	sew 縫	*ṭaqiś	*c-um-aqis	*c-əm-aqis	*t-um-áʔ₃iθi
72	shoot, arrow 射;箭	*panaq		*panaq	*-pánáʔ₂ə

73	six 六	*unəm		*unəm	*ənə́mə
74	sprout,grow 發芽；生長	*cəbuq		*c-əm-uvuq	*c-um-ə́vərə (不規則,應爲 c-um-ə́və?ə)
75	stomach 胃	*bicuka		*vicuka	*civúka
76*	stone 石頭	*batufi	*batu-nux (-?<-fi因接-nux 而省去)		*vátufi̇u
77	sugarcane 甘蔗	*ɬəvus		*ɬəvus	*tə́vəSə
78*	swim 游	*laŋuy	*l-um-aŋuy	*l-əm-aŋuy	*-laŋúžu
79	taboo 禁忌	*palisi		*palisi	*palíθI-ā (不規則,應 爲 palíSi-ā)
80**	thin 薄的	*lisipis	*hlipis		*ɬípisi
81*	this 這個	*(i)nifi	*ni		*inifii̇
82*	thou 你	*su	*?isu?	*su-	*Su
83	thread 線；穿線	*cisug	*l-um-uhug	*c-əm-usu	*-cúuru
84**	three 三	*təlu	*təru?	*ɬəlu	*túlu
85*	tree 樹	*kasuy	*kahuy	*kasiw	*káiwu
86*	two 二	*ɖusa	*dusa?	*ɖusa	*řúSa
87	vein 筋；血管	*fiagac	*?ugac	*ruac	*fiurácə
88*	vomit 嘔吐	*muɬaq	*mutaq	*muɬaq	
89	wait 等	*taga[gfi]	*t-um-aga?		*t-um-átara

90**	wash 洗	*sinaw		*s-əm-ənaw	*-Sináwu
91*	water 水	*jaɬum		*zaɬum	*čaɬúmu
92*	we (inclusive)咱們	*ita	*ʔitaʔ		* (-ita)
93	weave 編織	*tinun	*t-um-inun	*ɬ-əm-ənun	
94	weep 哭泣	*ʈaŋit	*laŋis, ŋilis	*c-əm-aŋit	*t-um-áŋisi
95	yawn 打呵欠	*-suab	*ma-suwab	*mə-suaw	

　　對於這裡所列的同源詞，我們願意再作兩點補充說明。第一，從內容上看，這些同源詞大體涵蓋了一個初民社會的各個方面，符合自然和常用的原則。各詞編號之後帶 '*' 號的，屬於語言學家界定的一百基本詞彙；帶 '**' 號的，屬兩百基本詞彙。帶 '*' 號的，有 32 個，帶 '**' 號的，有 15 個，總共是 47 個，佔了 95 同源詞的一半；可以說明這一點。進一步觀察這 95 個詞，我們可以看到「竹子、甘蔗、藤、露兜樹」等植物，「田鼠、河鰻、蒼蠅」等動物，有「稻、米、田、杵臼」等與稻作有關的文化，有「針、線、編織、鋪蓆子」等與紡織有關的器具與活動，有「弓、箭」可以禦敵行獵，有「一」到「九」的完整的數詞用以計數，並且有「面海」這樣的方位詞。但是另一方面，這裡沒有巨獸、喬木、舟船、颱風、地震、火山和魚類的名字。這些同源詞所反映出來的生態環境和文化特徵，在解答南島族起源地的問題上，無疑會提供相當大的助益。

　　第二，從數量上觀察，泰雅、排灣、鄒三群共有詞一

共 34 個，超過三分之一，肯定了三群的緊密關係。在剩下
的 61 個兩群共有詞之中，排灣群與鄒群共有詞為 39 個；
而排灣群與泰雅群共有詞為 12 個，鄒群與泰雅群共有詞為
10 個。這說明了三者之中，排灣群與鄒群比較接近，而泰
雅群的獨立發展歷史比較長。

四、台灣南島語的分群

　　在以往的文獻之中，我們常將台灣原住民中的泰雅、
布農、鄒、沙阿魯阿、卡那卡那富、魯凱、排灣、卑南、
阿美和蘭嶼的達悟（雅美）等族稱為「高山族」，噶瑪蘭、
凱達格蘭、道卡斯、賽夏、邵、巴則海、貓霧棟、巴玻拉、
洪雅、西拉雅等族稱為「平埔族」。雖然用了地理上的名詞，
這種分類的依據，其實是「漢化」的深淺。漢化深的是平
埔族，淺的是高山族。「高山」、「平埔」之分並沒有語言學
上的意義。唯一可說的是，平埔族由於漢化深，她們的語
言也消失的快。大部分的平埔族語言，現在已經沒有人會
說了。台灣南島語言的分布，請參看地圖 2（附於本章參
考書目後）。

　　不過本章所提的「台灣南島語」，也只是一個籠統的
說法，而且地理學的含意大過語言學。那是因為到目前為
止，我們還找不出一種語言學的特徵是所有台灣地區的南

島語共有的，尤其是創新的特徵。即使就存古而論，第三節所舉的音韻和句法的特徵，就不乏若干例外。常見的情形是：某些語言共有一些存古或創新，另一些則共有其他的存古或創新，而且彼此常常交錯；依據不同的創新，可以串成結果互異的語言群。這種現象顯示：（一）台灣南島語不屬於一個單一的語群；（二）台灣的南島語彼此接觸、影響的程度很深；（三）根據「分歧地即起源地」的理論，台灣可能就是南島語的「原鄉」所在。

要是拿台灣南島語和「馬玻語支」來比較，我們倒可以立刻辨認出兩條極重要的音韻創新。這兩條音韻創新，就是第三節提到的原始南島語「*c：*t」、「*l̂：*n」在馬玻語支中的分別合併爲「t」和「n」。從馬玻語言的普遍反映推論，這種合併可以用「*c＞*t」和「*l̂＞*n」的規律形式來表示。

拿這兩條演變規律來衡量台灣南島語，我們發現確實也有一些語言，如布農、噶瑪蘭、阿美、西拉雅，發生過同樣的變化；而且這種變化還有很明顯的蘊涵關係：即凡合併*n與*l̂的語言，也必定合併*t與*c。這種蘊涵關係，幫助我們確定兩種規律在同一群語言（布農、噶瑪蘭）中產生影響的先後。我們因此可以區別兩種演變階段：

表 0.7 兩種音韻創新的演變階段

階段	規律	影 響 語 言
I	*c＞*t	布農、噶瑪蘭、阿美、西拉雅
II	*í＞*n	布農、噶瑪蘭

其中*c＞*t 之先於*í＞*n，理由至為明顯。因為不這樣解釋的話，阿美、西拉雅也將出現*í＞*n 的痕跡，而這是與事實不符的。

　　由於原始南島語「*c：*t」、「*í：*n」的分別的獨特性，它們的合併所引起的結構改變，可以作為分群創新的第一條標準。我們因此可將布農、噶瑪蘭、阿美、西拉雅為一群，她們都有過*c＞*t 的變化。在布農、噶瑪蘭、阿美、西拉雅這群之中，布農、噶瑪蘭又發生了*í＞*n 的創新，而又自成一個新群。台灣以外的南島語都經歷過這兩階段的變化，也應當源自這個新群。

　　原始南島語中三類舌尖濁塞音、濁塞擦音*d、*ḍ、*j（包括*z）的區別，在大部分的馬玻語支語言中，也都起了變化，因此也一定是值得回過頭來觀察台灣南島語的參考標準。台灣南島語對這些音的或分或合，差異很大。歸納起來，有五種類型：

表 0.8 原始南島語中舌尖濁塞音、濁塞擦音之五種演變類型

類型	規律	影響語言
I	*d ≠ *ɖ ≠ *j	排灣、魯凱(霧台方言、茂林方言)、道卡斯、貓霧棟、巴玻拉
II	*d = *ɖ = *j	鄒、卡那卡那富、魯凱(萬山方言)、噶瑪蘭、邵
III	*ɖ = *j	沙阿魯阿、布農(郡社方言)、阿美(磯崎方言)
IV	*d = *j	卑南
V	*d = *ɖ	泰雅、賽夏、巴則海、布農(卓社方言)、阿美(台東方言)

　　這一組變化持續的時間可能很長，理由是一些相同語言的不同方言有不同類型的演變。假如這些演變發生在這些語言的早期，其所造成的結構上的差異，必然已經產生許多連帶的影響，使方言早已分化成不同的語言。像布農的兩種方言、阿美的兩種方言，至今並不覺得彼此不可互通，可見影響僅及於結構之淺層。道卡斯、貓霧棟、巴玻拉、洪雅、西拉雅等語的情形亦然。這些平埔族的語料記錄於 1930、1940 年代。雖然各有變異，受訪者均以同一語名相舉認，等於承認彼此可以互通。就上述這些語言而論，這一組變化發生的年代必定相當晚。同時由於各方言所採規律類型不同，似乎也顯示這些變化並非衍自內部單一的來源，而是不同外來因素個別影響的結果。

　　類型 II 蘊涵了類型 III、IV、V，就規律史的角度而言，年代最晚。歷史語言學的經驗也告訴我們，最大程度

的類型合併，往往反映了最大程度的語言的接觸與融合。
因此類型 III、IV、V 應當是這一組演變的最初三種原型，
而類型 II 則是在三種原型流佈之後的新融合。三種原型孰
先孰後，已不易考究。不過運用規律史的方法，三種舌尖
濁塞音、塞擦音的演變，可分成三個階段：

表 0.9 舌尖濁塞音、濁塞擦音演變之三個階段

階段	規律	影響語言
I	*d≠*ɖ≠*j	排灣、魯凱(霧台方言、茂林方言)、道卡斯、貓霧棟、巴玻拉
II	3. *ɖ=*j	沙阿魯阿、布農(郡社方言)、阿美(磯崎方言)
	4. *d = *j	卑南
	5. *d = *ɖ	泰雅、賽夏、巴則海、布農(卓社方言)、阿美(台東方言)
III	2. *d= *ɖ= *j	鄒、卡那卡那富、魯凱(萬山方言)、噶瑪蘭、邵

　　不同的語言，甚至相同語言的不同方言，經歷的階段
並不一樣。有的仍保留三分，處在第一階段；有的已推進
到第三階段。第一階段只是存古，第三階段為接觸的結果，
都不足以論斷語言的親疏。能作為分群的創新依據的，只
有第二階段的三種規律。不過這三種規律的分群效力，卻
並不適用於布農和阿美。因為布農和阿美進入這一階段很
晚，晚於各自成為獨立語言之後。

　　運用相同的方法對台灣南島語的其他音韻演變作過

類似的分析之後，可以得出圖 2 這樣的分群結果：

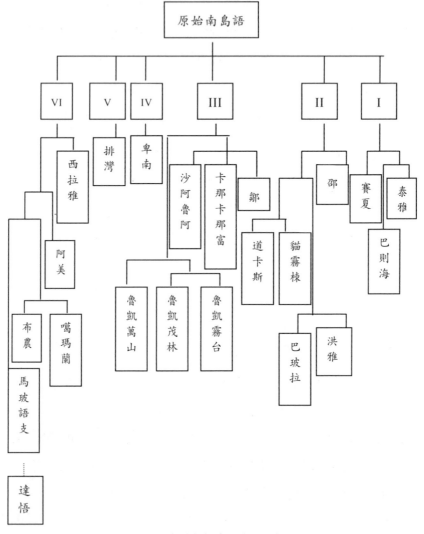

圖 2　台灣南島語分群圖

　　圖2比圖1的分群更為具體，顯示學者們對台灣南島語的認識日漸深入。不過仍有許多問題尚未解決。首先是六群之間是否還有合併的可能，其次是定為一群的次群之間的層序關係是否需要再作調整。因為有這些問題還沒有解決，圖2仍然只是一個暫時性的主張，也因此我們不對六群命名，以為將來的修正，預作保留。

五、小結

　　台灣原住民所說的，是來自一個分布廣大的語言家族中最為古老的語言。這些語言，無論在語言的演化史上、或在語言的類型學上，都是無比的珍貴。但是這些語言的處境，卻和台灣許多珍貴的物種一樣，正在快速的消失之中。我們應該為不知珍惜這些可寶貴的資產，而感到羞慚。如果了解到維持物種多樣性的重要，我們就同樣不能坐視語言生態的日漸凋敝。這一套叢書的作者們，在各自負責的專書裡，對台灣南島語的語言現象，作了充分而詳盡的描述。如果他們的努力和熱忱，能夠引起大家的重視和投入，那麼作為台灣語言生態重建的一小步，終將積跬致遠，芳華載途。請讓我們一同期待。

叢書導論之參考書目

何大安

 1999 《南島語概論》。待刊稿。

李壬癸

 1997a 《台灣南島民族的族群與遷徙》。台北：常民文化公司。

 1997b 《台灣平埔族的歷史與互動》。台北：常民文化公司。

Blust, Robert (白樂思)

 1977 The Proto-Austronesian pronouns and Austronesian subgrouping: a preliminary report. *Working Papers in Linguistics* 9.2: 1-15. Honolulu: University of Hawaii.

Li, Paul Jen-kuei (李壬癸)

 1981 Reconstruction of Proto-Atayalic phonology. *Bulletin of the Institute of History and Philology* 52.2: 235-301.

 1995 Formosan vs. non-Formosan features in some Austronesian languages in Taiwan. In Paul Jen-kuei Li, Cheng-hwa Tsang, Ying-kuei Huang, Dah-an Ho, and Chiu-yu Tseng (eds.) *Austronesian Studies Relating to Taiwan*, pp.

651-682. Symposium Series of the Institute of History and Philology Academia Sinica No. 3. Taipei: Academia Sinica.

Mei, Kuang (梅廣)

1982 Pronouns and verb inflection in Kanakanavu. *Tsing Hua Journal of Chinese Studies, New Series,* 14: 207-252.

Tsuchida, Shigeru (土田滋)

1976 Reconstruction of Proto-Tsouic Phonology. *Study of Languages & Cultures of Asia & Africa Monograph Series* No. 5. Tokyo: Gaikokugo Daigaku.

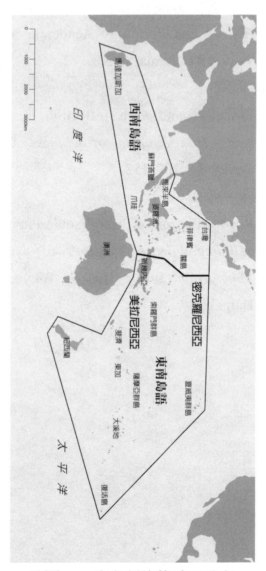

地圖 1　南島語族的地理分布

來源：*The New Encyclopaedia Britannica*（1992）第22冊755頁（重繪）

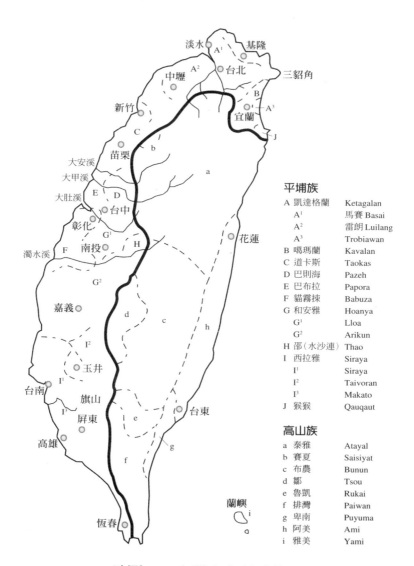

平埔族

A	凱達格蘭	Ketagalan
A¹	馬賽 Basai	
A²	雷朗 Luilang	
A³	Trobiawan	
B	噶瑪蘭	Kavalan
C	道卡斯	Taokas
D	巴則海	Pazeh
E	巴布拉	Papora
F	貓霧捒	Babuza
G	和安雅	Hoanya
G¹	Lloa	
G²	Arikun	
H	邵（水沙連）	Thao
I	西拉雅	Siraya
I¹	Siraya	
I²	Taivoran	
I³	Makato	
J	猴猴	Qauqaut

高山族

a	泰雅	Atayal
b	賽夏	Saisiyat
c	布農	Bunun
d	鄒	Tsou
e	魯凱	Rukai
f	排灣	Paiwan
g	卑南	Puyuma
h	阿美	Ami
i	雅美	Yami

地圖 2　台灣南島語言的分布

來源：李壬癸（1996）

附件

南島語言中英文對照表

【中文】	【英文】
大洋語	Oceanic languages
巴則海語	Pazeh
巴玻拉語	Papora
加本語	Jabem
卡那卡那富語	Kanakanavu
古戴	Kuthi 或 Kutai
布農語	Bunun
多羅摩	Taruma
西拉雅語	Siraya
沙阿魯阿語	Saaroa
卑南語	Puyuma
邵語	Thao
阿美語	Amis
南島語族	Austronesian language family
洪雅語	Hoanya

【中文】	【英文】
原始台灣語	Proto-Formosan
原始西部語	Proto-Hesperonesian
原始泰雅群語	Proto-Atayal
原始排灣語	Proto-Paiwan
原始鄒群語	Proto-Tsou
泰雅群支	Atayalic subgroup
泰雅語	Atayal
馬來語	Malay
馬玻語支	Malayo-Polynesian subgroup
排灣群支	Paiwanic subgroup
排灣語	Paiwan
凱達格蘭語	Ketagalan
斐濟語	Fiji
猴猴語	Qauqaut
跋羅婆	Pallawa
塔加洛語	Tagalog
道卡斯語	Taokas
達悟雅美語	Yami
鄒群支	Tsouic subgroup
鄒語	Tsou
魯凱語	Rukai

【中文】	【英文】
噶瑪蘭語	Kavalan
貓霧栜語	Babuza
賽夏語	Saisiyat
薩馬力諾語	Samareno

第*1*章
導論

一、魯凱語的分布與現況

　　魯凱族分布於南台灣，人口約有八千餘人，而魯凱語
包括六個主要方言，依地理位置可區分爲高雄縣北邊的茂
林（Maga，自稱 telDɨka）、萬山（Mantauran，自
稱 'oponoho）、多納（Tona，自稱 kongadavane），以
上三者合稱爲「下三社」；屏東縣南邊的霧台（Budai，
自稱 veDay）、大武（Labuan，自稱 laboa）及台東縣東
邊的大南（Tanan，自稱 taromak）。魯凱語的內外關係——
也就是魯凱方言的分支，以及魯凱語在台灣南島語中的分
類狀況——一直是爭論不休的議題，有待進一步的研究。

　　依方言的詞彙和語音，可把魯凱方言分爲兩個支群：
霧台、大武及大南屬於一支，茂林及多納另成一支（參
見 Li 1977）。萬山方言在魯凱語中的定位則有些困難，
因爲它經過了不少語音及語法變化：在語音上，萬山的
擦音／v, z [ð], h／對應於其他魯凱方言的濁塞音／b, d/D

[d], g／；在語法上，萬山方言發展出「動詞及賓語的相呼應關係」（參見 Zeitoun 1997a）。　對於萬山在魯凱語的位置李壬癸教授有兩種不同的假設：1977 年他以歷史比較的研究方法，指出萬山在詞彙上較接近茂林與多納方言，但現在則根據杜玟萩小姐（參見 Tu et al. 1991 和 Tu 1994）所作的研究，認為萬山是魯凱語最早的分支（參見 Li 1995 & 1997）。

Ferrell（1969：25）依詞彙比較的證據，將台灣南島語分為三類：北部的泰雅語群、中部的鄒語群與南部的排灣語群，其中魯凱語即包含在排灣語群內。其次，Tsuchida（1976）依據一些語音和詞彙證據提出魯凱語應屬於鄒語群。最近，Starosta（1995）則依據一些句法證據認為魯凱語是台灣南島語的第一分支。

二、文獻回顧

在筆者先後，有不少國內及國外的學者及研究生也參與魯凱語的田野調查工作，但是以出版專書或論文為例，目前能找到的文獻屈指可數，以下按出版年限順序介紹之：
（1）Ogawa 和 Asai（1935）做了魯凱語各方言的初步介紹及語法描述。他們所作的研究包括方言語音與詞彙比較，還有三十二則故事（見傳說集，頁

331-393）。不過，他們的記音及錯誤很多，較少為學者所採用。

（2） Tsuchida（1976）提供了「下三社」的基本詞彙，也探討了一些構詞和句法現象。不過，他在 70 年代主要收集的資料（包括長篇語料）尚未發表，所以無法參考。

（3） Li（1973）探討了大南方言的文法結構，包括語音、構詞、句法的討論。他在（1975）發表了大南語料，並提拱二十六則傳說故事。同年，他也發表一篇有關茂林語音系統和語音規則的描述。Li（1977）做了魯凱語群語音演變的研究，大約提供了五百個魯凱語群的同源詞。Li（1995）描述了魯凱語霧台方言的語音系統及詞彙結構，並提供了多百個詞彙。Li（1996）對於魯凱語各種方言的代名詞系統做了詳細比較。

（4） Shelley（1978）主要探討霧台方言在魯凱語中的地理位置，並且提供了一些文化方面的資訊；另外也描述霧台方言的語音系統和詞彙結構。

（5） Kuo（1979）探討了霧台方言的複雜句結構。

（6） Saillard（1995，1997）討論了茂林方言的構詞和一些句法現象。

（7） 筆者（1995）對於魯凱語群的構詞與句法提供了初步比較研究，而在（1997a 與 1997b）進一步探

討萬山方言的一些句法特性，並與霧台方言作一對照，以利比較。

（8）Chen（1999）主要探討霧台方言好茶地區的疑問詞用法，包括疑問詞的疑問用法及疑問詞的無定用法。

三、本書內容概述

霧台方言分布最廣，因此不同部落之間有一些詞彙、語音及句法上的差別。本書主要以居住在霧台鄉霧台村的魯凱族人所講的霧台方言為研究探討的對象（以下簡稱魯凱語），共分為七章：首章為本套叢書導論，由何大安和楊秀芳兩位教授執筆，介紹南島語與台灣南島語；其餘章節討論之內容如下：第一章導論，介紹魯凱語的分布和現況；第二章主要探討魯凱語的音韻系統、語音規則及語音結構；第三章描述該語言的詞彙結構；第四章針對其句法結構作一簡單的分析；第五章和第六章分別提供魯凱語的一則故事及基本詞彙。另外，也提供了（有關魯凱語最新的）參考書目、專有名詞解釋及索引，以利讀者閱讀方便。

筆者於民國八十二年至八十四年間調查霧台方言，共蒐集了單詞及句子各一千多個及四則長篇故事。在此

要感謝下列魯凱族發音人對本書所提供的語料和許多方面的協助：

龍正夫：　民國 29 年生於霧台村，族名爲 aLegeane maLengane，會國語、略懂日語。

巴神一：　民國 14 年生於霧台村神山區，族名爲 palavelave paeLece，會日語和國語。

沙荻香：　民國 21 年生於霧台村，族名爲 saLebeLebe alaiubu，會日語和國語。

包清惠：　民國 52 年生於霧台村，族名爲 abaliusu maleveleve，會國語。

包勝雄：　民國 50 年生於霧台村，族名爲 abaliusu tanubake，會國語。

唐輝次：　民國 32 年生於阿禮村，族名爲 dalapazane Lingucu，會國語。

　　在此也要特別感謝所有幫忙核對並修正本書的朋友，邢天馨小姐、林惠娟及朱黛華兩位助理。

第 *2* 章
魯凱語的音韻結構

　　本章所要探討的是魯凱語的音韻結構，可分為語音系統、音韻規則和音節結構三方面來討論，以下分述之。

一、語音系統

　　魯凱語共有十八個輔音、兩個滑音、四個元音，如下所表示。

　　注意：本專書中所用的符號，乃依據教育部委託中央研究院李壬癸教授（1992）所編著的「台灣南島語言的語音符號系統」一書中的魯凱語音韻系統加以修改而寫；方括弧內為國際音標中所採用的符號：

表 2.1 魯凱語的語音系統

[輔音]

		唇音	齒音	齒顎音	捲舌音	舌根音
塞音	清	p	t			k
	濁	b	d		D [ɖ]	g
塞擦音				c		
擦音	清		th [θ], s			
	濁	v	z [ð]			
鼻音		m	n			ng[ŋ]
邊音			l		L [ɭ]	
顫音			r			
滑音		w	y			

[元音]

	前	央	後
高	i		u
中		e [ə]	
低		a	

語音描述

（１）塞音

　　魯凱語的／p, t, k／是一般語言常見不送氣的清塞音，／p, t, k／讀如國語的ㄅ、ㄉ，ㄍ。／b, d, g／分別是於／p, t, k／同部位的濁塞音，發音時都不送氣，聲帶顫

動。而／D／是捲舌音。國語中沒有相當於／b, d, D, g／ 的音和符號。

（2）塞擦音

／c／是個送氣塞擦音，讀如國語的ㄘ。／c／出現在前高元音／i／時，會產生變化的同位音[tʃ]，讀如國語的ㄑ。

（3）擦音

魯凱語有兩個清擦音／s／和／th／和兩個濁擦音／v／和／z／，其中／th／和／z／是齒間擦音。／s／讀如國語的ㄙ，但在高音／i／之前後往往顎化，讀如國語的ㄒ。至於／v, th, z／，國語沒有相對的音位；／v／讀如英文的／v／，如 'village'；／th／讀如英文詞尾的／th／（讀如 [θ]），如 'teeth'；而／z／讀如英文的詞首／th／（讀如 [ð]），如 'the'。

（4）鼻音

／m, n, ng／是／p, t, k／同部位的鼻音。／m, n／讀如國語的ㄇ、ㄋ；至於／ng／沒有完全相對的國音符號。

（5）邊音和顫音

魯凱語有兩個邊音／l, L／，後者為捲舌音。／r／是個顫音。／l／大致相當於國語的ㄌ。至於／L, r／，國語沒有相對的符號。

（6）滑音

　　魯凱語的滑音／w, y／讀如國語的ㄨ、ㄧ。

（7）元音

　　魯凱語有四個元音／i, a, e, u／，其中／i, u／兩個元音在語音上有時候會接近 [e, o]，／i, a, u／讀如國語的ㄧ、ㄚ、ㄨ。／e／是一般的央中元音，大致相當於國語的ㄜ。

輔音及元音的分佈

（1）二十個輔音都可出現字首或兩個元音之間，也可以接在各種單元音之後。輔音從不出現在字尾因為單字結尾為開音節。

（2）／v, z／兩個輔音平常出現在／a／的前後。

（3）沒有輔音群。

（4）魯凱語的四個元音／i, a, e, u／可出現在字首、兩個輔音之間或字尾。

　　以下為含有上述這些音的字詞：

表 2.2　魯凱語輔音及元音間的分佈

輔音	字首	語意	字中	語意
/p/	palaka	樹枝	cape	種子
/t/	tai	芋頭	atatabange	蟑螂
/k/	kaange	魚	bakuru	樹皮

/b/	balebale	竹	aabu	灰	
/d/	daane	房子	nguduy	嘴	
/D/	Dapale	足	taluDu	橋	
/g/	galawgaw	指	vigua	肋骨	
/c/	caLinga	耳朵	acilay	水	
/s/	sawvalay	男孩	kisisi	羊	
/th/	thuvugu	煙	tawthu	尾巴	
/v/	vasaw	葉	DaDava	等	
/z/	zali	女名	azazame	鳥	
/m/	maDu	水果	damili	大麻	
/n/	nakuane	我	agane	孫子、孫女	
/ng/	ngiaw	貓	angatu	樹	
/l/	lacenge	菜	balace	根	
/L/	Laabu	刀	aLenge	松樹	
/r/	rigi	馬	urasi	地瓜	
/w/	wakane	吃	baLilawlaw	虹	
/y/	yakai	有	paysu	錢	

元音	字首	語意	字中	語意	字尾	語意
/i/	iLici	泥土	timu	鹽	valisi	牙齒
/e/	emeeme	雲	LegeLege	山	DeLeke	背
/a/	aga	飯	udale	雨	kuuka	雞
/u/	ubulu	草	ababungu	螞蟻	tawpungu	狗

二、音韻規則和詞音位轉換

　　魯凱語有以下的音韻規則和詞音位轉換：

（1）顎化

塞擦音／c／和擦音／s／在前元音／i／之前會顎化。規則如下：

$$\left|\begin{array}{c} s \\ c \end{array}\right| \rightarrow \left|\begin{array}{c} \int \\ t\int \end{array}\right| / \underline{\quad} i$$

例如：kisisi　[kiʃiʃi] 羊

　　　cimi　　[tʃimi] 頰

（2）元音的省略

（1）詞根尾元音的省略

加上附加成分後詞根的尾元音通常會省略，例如：

w-a-akame　烤　＞ akam-a ！　　烤 ！
sy-a-amece　帶　＞ si-amec-a ！ 帶 ！

（2）前綴尾元音的省略

有時候，加上附加成分後詞綴的尾元音就省略，例如：

（a）a 元音的脫落，如：

ta ～ t-　例如：ina　媽媽　＞ t-ina　母親　　（<ta-ina）
la ～ l-　例如：alii　朋友！＞ l-alii　朋友們！（<la-alii）
pa ～ p-　例如：pa　　使　＞ p-ua　讓、給　（<pa-wa）

（b）u 元音的省略

mu ～ m-　　例如：　　wa 去 > m-wa！ 去！　　（＜mu-wa）

（3）音位轉換

　　本方言的詞音位轉換有：y ～ z、w ～ v，y ～i、 w ～ u，規則如下：

$$\left| \begin{matrix} y \\ w \end{matrix} \right| \rightarrow \left| \begin{matrix} z \\ v \end{matrix} \right| / \underline{\quad} a\#$$

例如：

wa-DaLay　　跳舞　DaLaz-a！　跳舞！
wa-DaDaw　　等　　DaDav-a！　等！

$$\left| \begin{matrix} i \\ u \end{matrix} \right| \rightarrow \left| \begin{matrix} y \\ w \end{matrix} \right| / \underline{\quad} a\,C$$

例如：

ki-lepeng-a！　躲起來！　ky-a-lepenge　　躲
mu-daan-a！　　進去！　　mw-a-daane　　進去

三、音節結構

魯凱語的基本音節結構為：（C） V，而基本音節可以相連如：（CV／Y）V（C）V（V）。虛詞都是單音節，如 ku'主格'、 la'就'等，而實詞大多是雙音節以上，如下：

表 2.3 魯凱語的音節結構

CV	la	'就'
CVV	tai	'芋頭'
CYV	mwa	'去'
CVCV	pitu	'七'
CVVCV	daane	'房子'
CYVCV(CV)	mwaciLi	'落'
CVYCV	paysu	'錢'
VCV	aga	'飯'
VCVV	agaa	'煮飯！'
YVCV(V)	yakai	'有'

重音通常落在詞的倒數第二音節，例如：
maDu '水果' ubulu '草' balace '根'
但有少數詞的重音落在倒數第三音節，例如：
daane '房' beeke '豬' kaace '咬'

第 3 章

魯凱語的詞彙結構

本章主要討論的是霧台方言的詞彙結構，可分為單純詞、衍生詞、複合詞、重疊詞和少數外來語借詞，以下分別介紹之。

一、單純詞

單純詞是由詞根單獨構成，不需附加任何詞綴。霧台方言的單純詞可分為單音節和多音節單純詞：

單音節單純詞

la '就' ku '主格、斜格' ka '主格、斜格'

多音節單純詞

baLiw '部落' ngiaw '貓' belenge '上面'
tawpungu '狗' vaLigi '風' butulu '豬肉'

二、衍生詞

　　衍生詞是由詞根附加上詞綴構成的，其語意和語法作用亦可能隨之改變。霧台方言的詞綴可分為：（一）前綴、（二）中綴、（三）後綴、（四）前後綴 及（五）合成綴等。本節將介紹最常見的詞綴。

前綴

（１）　a- 附加在名詞詞根之前，構成表「變成」之動詞，如：

| a-tawpungu | a-狗 | 變狗 |
| a-beeke | a-豬 | 變豬 |

例句：

atawpung-a、　naw-abeeke

[變狗 -命令　我-變豬]

'（你）當狗、我當豬'

（２）　a- 附加在代名詞前，有「為什麼」之意，如：

| a-su baay | a-你　給 | 你為什麼給？ |
| a-nu mukuLuDu | a-你們 怕 | 你們為什麼怕？ |

例句：

a-su　　　　　baay　iniane　ku　　paysu ?

[為什麼-你　給　　他　　斜格　錢]

'你為什麼給他錢？'

（3）　ana- 附加在動詞前，有「假如」之意，如：

ana-Deele	ana-看	假如看
ana-kane	ana-吃	假如吃
ana-tumane	ana-做	假如做，希望

例句：

anaDeel-aku　kuiDa,　　naipuLael-aku　　iniane

[假如看-我　　那　　　　早就告訴-我　　　他]

'如果那時候我看過他，我早就跟他說了'

（4）　api- 附加在動詞前，有「喜歡」之意，如：

api-(a)-kane	api-(實現)-吃	愛吃
api-(a)-ungulu	api-(實現)-喝	愛喝
api-(a)-apece	api-(實現)-睡	愛睡

例句：

apyakane-aku　　ku　　　　belebele

[愛吃　　-我　　斜格　　　香蕉　　]

'我愛吃香蕉'

（5）　i- 附加在名詞前，構成表「在」之動詞，如：

i-(a)-belenge	i-（實現）-上面	在上面
i-(a)-daane	i-（實現）-房子	在房子裡
i-(a)-baLiw	i-（實現）-村	在家休息

例句：

yabelenge　ki　　angatu　　ku　　babila

[在上面　　斜格　樹　　　　主格　猴子]

'猴子在樹上'

（6） ka- 附加在非限定式的狀態動詞前，如：

ka-(aDa)aDaw	ka-（重疊）大	大
ka-dalame	ka-喜歡	喜歡

例句：

luDeelane kai Lulai, arua-<u>kaaDaaDaw</u>

[看時   這 小孩   越來越-大   ]

'這個小孩看起來越來越大'

（7） ki- 附加在名詞前，構成表「挖、收」之動詞，如：

ki-kali	ki-野地瓜	挖野地瓜
ki-angatu	ki-木柴	撿木柴
ki-urasi	ki-地瓜	挖地瓜

例句：

ila-ta   <u>kikali</u>

[去-咱們   挖野地瓜]

'咱們去挖野地瓜'

（8） ku- 附加在時間名詞前，構成表「過去」之時間副詞，如：

ku-igane	ku-時	什麼時候
ku-iya	ku-天	昨天
ku-maungu	ku-晚	昨晚

例句：

waDeele-su　　kuigane　　　　iniane？

[看　-你　　什麼時候　　　他]

'你什麼時候看過他？'

（９）　ku- 附加在主格代名詞前，構成為「自由式代名
詞」，其功能為主題，如：

ku-su	ku-你	你
ku-naku	ku-我	我
ku-numi	ku-你們	你們

例句：

kusu　　　　ka　　　swaveDay-su

[你　　　　主格　霧台人　-你]

'你這個霧台的人！'

（１０）la-（或 l-）附加在名詞之前，有「複數」的語意，
如：

l-agane	la-孫子	孫子
la-tawpungu	la-狗	狗
la-vavalake	la-小孩	小孩

例句：

pa-apeca ya　　　ki　　　iina　　　ki　　　laganini

[叫-睡　這樣　斜格　媽媽　斜格　她的孫子]

'叫（我）媽媽帶她的孫子去睡覺'

（１１）lu- 附加在時間名詞前，構成表「未來」之時間
副詞，如：

| lu-igane | lu-時 | 什麼時候 |
| lu-iya | lu-天 | 明天 |

例句：

(L)iDeele-su　　luigane　　iniane？

[將看-你　　　什麼時候　　他]

'你什麼時候會看他？'

（１２）(L)i- 附加在動詞前，有「將…」之意，如：

(L)i-aga	(L)i-煮	將煮
(L)i-ungulu	(L)i-喝	將喝
(L)i-kane	(L)i-吃	將吃

例句：

(L)iaga　　　ka　　iina　　ku　　butulu

[將煮　　　主格　媽媽　　斜格　　豬肉]

'媽媽將煮肉'

（１３）ma- 可附加在動詞或名詞前，構成「狀態動詞」，
如：

ma-dalame	ma-喜歡	喜歡
ma-caeme	ma-病	生病
ma-savare	ma-風	有風

例句：

madalame　　ki　　　zipulu　　ku　　　takanaw

[喜歡　　　　斜格　zipulu　　主格　takanaw]

'takanaw 喜歡 zipulu'

（１４）ma- 加以部份重疊（C₁aC₁V) 附加於動詞前，有「互相」之意，如：

ma-ka-kadalame	ma-重疊-喜歡	互相愛
ma-ka-kalisi	ma-重疊-打	互相打
ma-pa-papacay	ma-重疊-殺	互相殺

例句：

makakadalame　　ku　　　zipulu　　si　　takanaw

[互相愛　　　　　主格　zipulu　　和　takanaw]

'takanaw 和 zipulu 相愛'

（１５）mu- 附加在名詞前，構成表「往…」之動詞如：

mu-(a)-baLiw	mu-（實現）-村	回村、回家
mu-(a)-daane	mu-（實現）-房子	進房子
mu-(a)-Dingi	mu-（實現）-裡面	進去

例句：

mwabaLiw　ka　　　aama

[回家　　　主格　　爸爸]

'爸爸回家'

（１６）mu- 附加在名詞前，構成表「排、脫、拆」之動詞，如：

mu-(a)-caisi	mu-（實現）-縫口	拆縫口
mu-(a)-caki	mu-（實現）-大便	排便
mu-(a)-kipingi	mu-（實現）-衣服	脫衣服

例句：

mwacais-aku

[拆縫　-我]

'我拆縫口'

（１７）nai- 附加在動詞前，有「早就」之意，如：

nai-langay	nai-買	早就買
nai-karuDange	nai-結婚	早就結婚
nai-kane	nai-吃	早就吃

例句：

anaikai　ku　　　paysu-li, nailangaynga-naku

[假如有　主格　　錢-我的　早就買-我

ku　　　daane

斜格　　房子]

'如果我有錢，我早就買房子了'

（１８）ngi- 附加在動詞或名詞前，構成為表示「以某方
式或方向做某行動」之動詞，如：

| ngi-(a)-palay | ngi-(實現)-飛 | 飛 |
| ngi-(a)-talaisi | ngi-(實現)-搖擺 | 搖擺 |

例句：

ngyapalay　　　ka　　　azazame

[飛　　　　　主格　　鳥]

'鳥（在）飛'

（19）ngi- 加部份重疊（C,a-C,V）附加在動詞前，構成
表「反身」之動詞，如：

| ngi-(a)-pa-papacay | ngi-(實現)-重疊-殺 | 自殺 |
| ngi-(a)-ga-geLegeLe | ngi-(實現)-重疊-切 | 割傷自己 |

例句：

ngyapapapacay　ka　　takanaw

[自殺　　　　　主格　takanaw]

'takanaw 自殺'

（20）ngu- 附加在名詞，構成表「乘、坐」之動詞，
如：

ngu-(a)-manemane	ngu-(實現)-什麼	坐什麼
ngu-(a)-didiusa	ngu-(實現)-車	坐車
ngu-(a)-rigi	ngu-(實現)-馬	乘馬

例句：

ngwamanemane-su　kela　kai　veDay？

[坐什麼-你　　　　　到　　這　霧台

ngwadidius-aku

坐車-我]

'你坐什麼到霧台來　？　我坐車（來）'

（21）pa- 附加在動詞前，表「使役」之意義，如：

pa-pacay	pa-(實現)-死	殺
pa-kane	pa-(實現)-吃	給...吃、餵
pa-katwase	pa-(實現)-出去	叫...出去

例句：

<u>pakatwase</u>　　　ki　　　aama　ka　　　iina

[叫出去　　　斜格　爸爸　主格　媽媽]

'（我）媽媽叫爸爸出去'

（22）pangu- 附加在動詞或名詞前，有「用」之意，如：

pangu-dadavace	pangu-走	用走的
pangu-laylay	pangu-跑	用跑的
pangu-tukuDu	pangu-背	用背的

例句：

pangutumane-su　　muveDai？<u>pangudadavac-aku</u>

[怎麼　　　-你　　去霧台　　用走　　　　　-我]

'你怎麼去霧台？我用走的'

（23）sa- 附加在名詞或動詞前，有「…時」之意，如：

sa-ka-Lulai	sa-狀態-小孩	小孩時
sa-maka-kane	sa-完-吃	吃完後

例句：

samakakanenga lepenge kai karaza kuiDa

[吃完了　　　　完　　　這　穿山甲　那

icibilini la kela ki laini

他們烤的　就　　到　　斜格　他朋友]

'穿山甲吃完了他們烤的（地瓜）之後到他的朋友那裡去'

（２４）si- 附加名詞或動詞前，有「叫、帶、穿」之如：

si-(a)-amece	si-(實現)-帶	帶
si-(a)-zipulu	si-(實現)-zipulu	(她)叫 zipulu
si-(a)-kipingi	si-(實現)-衣	穿衣

例句：

syaamece ku urasi ka aama

[帶　　　斜格　地瓜　　主格　爸爸]

'爸爸帶地瓜'

（２５）sini- 附加在名詞前，有「從…」之意，如：

sini-(a)-inu	sini-(實現)-哪	從哪裡
sini-(a)-veDay	sini-(實現)-霧台	從霧台
sini-(a)-umauma	sini-(實現)-田裡	從田裡

例句：

sinyainu-su？　　sinyaveDaz-aku

[從哪-你　　　　從-（實現）-霧台-我]

'你從哪裡來？我從霧台來的'

（２６）su- 附加在名詞前，有「屬於」之意，如：

su-(a)-veDay	su-(實現)-霧台	霧台人
su-(a)-upunugu	su-(實現)-萬山	萬山人
su-(a)-tarumake	su-(實現)-大南	大南人

例句：

swaveDay-su ？ iini, swaupunug-aku！

[屬於霧台-你　　不　　屬於萬山-我]

'你是霧台人嗎？不，我是萬山人'

（２７）su- 附加在名詞前，構成表「吐」之動詞，如：

| su-(a)-ngaLay | su-(實現)-唾液 | 吐、吃檳榔 |

例句：

swangaLay ka sabwane

[吐　　　　斜格　　咬的東西]

'（他）吐他咬的東西'

（２８）ta- 附加在名詞前，表示「感覺」的意義，如：

ta-DalangeDange	ta-熱	感覺很熱
ta-kacele	ta-冷	感覺很冷
ta-pangeLace	ta-難	感覺很難

例句：

taDaLangeDang-aku

[感覺熱　　　　-我]

'我覺得很熱'

（２９）taru- 附加在量詞前，有「到某個程度」之意，
　　　　如：

| taru-(a)-tiki | taru-(實現)-小 | 一點 |
| taru-(a)-Daw | taru-(實現)-多 | 很多 |

例句：

<u>tarwatiki</u> kai　　udale

[一點　　　這　　　雨　]

'有點下雨'

（３０）tau- 附加在名詞前，構成表「洗」之動詞，如：

| tau-(a)-Lima | tau-(實現)-手 | 洗手 |
| tau-(a)-maca | tau-(實現)-眼睛 | 洗臉 |

例句：

lu　　　　<u>taumaca-a</u>

[去　　洗臉-命令]

'去洗臉'

（３１）tu- 附加在名詞前，構成表「做、蓋、生」之動
　　　　詞，如：

tu-(a)-daane	tu-(實現)-房子	蓋房子
tu-(a)-lalake	tu-(實現)-小孩	生小孩
tu-(a)-abay	tu-(實現)-米糕	做米糕

例句：

twaabay　　　ka　　　　iina
[做米糕　　主格　　媽媽]
'（我）媽媽做米糕'

中綴

（1）　-a- 附加在動詞間，有「已…；現在…」之意如：

w-a-ungulu	主-a-喝	喝
w-a-tubi	主-a-哭	哭

例句：

watubi　　　ka　　　　　Lulay
[哭　　　　主格　　　　小孩]
'小孩正在哭'或' '小孩哭了'

後綴

（1）　-ana 附加在動詞之後，有「還」之意，如：

ini-ana	不-ana	還沒
kane-ana	吃-ana	還要吃

例句：

wakane-nga-su？　iniana, kai-naku　wakaneana！
[已經吃-你　　　　還沒　不-我　　　還吃]
'你已經吃了嗎？還沒，我還沒吃！'

（２）　-(a)nga 附加在動詞之後，有「已、了」之意，
　　　如：

wakane-nga	吃-nga	吃了
waDeele-nga	看-nga	看了
kyalepenge-nga	躲-nga	躲了

例句：

waDeelenga-naku　　musuane

[看了　　　-我　　　你]

'我看到你了'

前後綴

（１）　a- ...-ane 附加在動詞詞根前後，構成示「將來的
　　　狀態」之名物化，如：

a-aga-ane	a-煮-ane	將要煮的
a-salaza-ane	a-追-ane	將要追的
a-eleb-ane	a-關(門)-ane	將要關的門

例句：

kai aagaane-li kai urasi ay　　akanaane ki

[這 將煮-我的 這 地瓜 主　　將吃的

bazabaza

客人]

'我將要煮的這個地瓜是要給客人吃的'

（2）ni- 或 -in-... -ane 附加在動詞詞根前後，構成表
示「結果狀態」之名物化，如：

ni-aLa-angatu-ane	ni 拿-木頭-ane	用木頭做的
ni-piLi-ane	ni-選-ane	選出來的
p-in-iLi-ane	-in-選-ane	經過選舉的
ni-eleb-ane	ni-關(門)-ane	（門）關著

例句：

nyaLaangatuane kai　　LawLawDu
[拿木頭　　　　這　　門]
'這個門是用木頭做的'

（3）　ka-...-ane 附加在名詞詞根前後，有「真正」之意，
如：

ka-bava-ane	ka-酒-ane	山地酒
ka-kiping-ane	ka-衣服-ane	山地衣服
ka-veDaz-ane	ka-霧台-ane	霧台村(指原來的部落)

例句：

twakabavaane　　ku　　　iina
[做山地酒　　　主格　　媽媽]
'媽媽（會）做山地酒'

（4）　kala- ... - ane 附加在名詞詞根前後，有「季節」
之意，如：

| kala-DaLangeDang-ane | kala-熱-ane | 夏天 |
| kala-kecel-ane | kala-冷-ane | 冬天 |

| kala-beceng-ane | kala-小米-ane | 小米節 |

例句：

kalabecengane　　ay　　　kalavaLigane
[小米節　　　　　主題　　颱風期]
'小米節就是颱風期'

（５）　sa-...-ane 附加於名詞或動詞詞根前後，有「工具」之意，如：

| sa-lataD-ane | sa-外面-ane | 門口 |
| sa-twatum-ane | sa-做-ane | 工具 |

（６）　sanu-...-le 附加在數詞前，構成表「（幾）次」之動詞。注意：在 / u / 之後，le > lu，如 tuLu 三 > tuLulu 三次。

| sanu-(a)-Dusa-le | sanu-(實現)-二-le | 兩次 |
| sanu-(a)-tuLu-lu | sanu-(實現)-三-lu | 三次 |

例句：

wakane-aku　　　sanutuLulu
[吃-我　　　　　三次]
'我吃了三次'

（７）　ta- ... -ane 附加在名詞或動詞詞根前後，構成表「時間、空間」之名詞，如：

| ta-ape-apec-ane | ta-睡-ane | 房間；睡覺的時間 |

例句：

taapeapecane   ki   takanaw   kai
[睡覺的地方   斜格   takanaw   這]
'這裡是 takanaw 睡的地方'

taapeapecane   nakay   zikane
[睡覺的時間   這   時間]
'睡覺的時間到了'

合成綴

（１）　-a-nga 附加在動詞後，表示「命令式」但語氣
比較客氣，如：

| maLaanga | 拿-a-nga | （請你）拿著！ |

（２）　la-maa- 附加在名詞前，有「多數」之意，如：

la-maa-tama	la-maa-父	父子／女
la-maa-tina	la-maa-母	母子／女
la-maa-lala	la-maa-朋友	朋友們

例句：

makakalisi   ka   lamaalala
[互相打   主格   朋友們]
'兩個朋友互相打'

（３）　(L)i-tara 附加在名詞或動詞詞根前後，有「一定」
之意，如：

(L)i-tara-udale	(L)i-tara-雨	一定會下雨
(L)i-tara-vaLigi	(L)i-tara-風	一定會颱風
(L)i-tara-kane	(L)i-tara-吃	一定要吃
(L)i-tara-kela	(L)i-tara-來	一定要來

例句：

(L)itarakane-su

[一定要吃-你]

'你一定要吃！'

（4）　ta-ra- 附加在名詞或數詞前，有「在（一段時間）內… 一次」之意，如：

ta-ra-caili	ta-ra-年	一年一次
ta-ra-Dusa	ta-ra-二	兩（年）一次

例句：

taracail-aku　　　ala　　　ubaLiw

[每年 -我　　　就　　　回家]

'我每年回家一次'

taraDus-aku　ka　　caili　mubaLiw

[每兩 -我　斜格　年　　回家]

'我兩年（才）回家一次'

（5）　ta-ra 附加在動詞前，有「擅長做…者」之意，如：

ta-ra-alupu	ta-ra-打獵	獵人

ta-ra-agaaga	ta-ra-煮飯	廚子

例句：

kai   lasu   <u>taraalupu</u>

[這   男   獵人]

'這個男的是個獵人'

（6）   t-in-u- ... -ane 附加在名詞的前後，有「人和人的年紀關係」之意，如：

t-in-u-agi-agi-ane	t-in-u-弟弟-ane	晚輩
t-in-u-taka-ane	t-in-u-哥哥-ane	長輩

例句：

wamwa   ki   <u>tinuagiagiane</u>-li   karuDange

[去   斜格   晚輩-我的   結婚]

'（她／他）跟我的弟弟（或妹妹）結婚'

綜合上述，可把霧台方言的詞綴表如下（注意：在表中，＋表示「是」；而－表示「不是」）：

表 3.1 魯凱語最常見的前綴

前綴	語意	附加在			構成為	例　　子
		代名詞前	名詞前	動詞前		
a-	變成	－	＋	－	動詞	a-tawpungu 變成狗
a-	為何	＋	－	＋	動詞	a-su baay 為何給
ana-	假如	－	－	＋	動詞	ana-Deele 假如看
api-	喜歡	－	－	＋	動詞	api-(a)-kane 愛吃
i-	在	－	＋	－	動詞	i-(a)-daane 在房子裡
ka-	狀態	－	－	＋	動詞	ka-dalame 喜歡
ki-	挖、收	－	＋	－	動詞	ki-angatu　撿木頭
ku-	過去	－	＋	－	副詞	ku-maungu 昨晚
ku-	主格	＋	－	－	代名詞	ku-naku 我
la-	複數	－	＋	－	名詞	la-vavalake 小孩
lu-	未來	－	＋	－	副詞	lu-iya 明天
Li-	將	－	－	＋	動詞	Li-ungulu 將喝
ma-	狀態	－	＋	＋	動詞	ma-caeme 生病
ma-+ 重疊	互相	－	－	＋	動詞	ma-kakadalame相愛
mu-	往	－	＋	－	動詞	mu-(a)-daane 進房子
mu-	排、脫、拆	－	＋	－	動詞	mu-(a)-kipingi 脫衣服
nai-	早就	－	－	＋	動詞	nai-langay 早就買
ngi-	以某方式或方向作某行動	－	＋	－	動詞	ngi-(a)-palay 飛
ngi-+ 重疊	自己	－	－	＋	動詞	ngu-(a)-papapacay 自殺
ngu-	坐	－	＋	－	動詞	ngu-(a)-didiusa 坐車
pa-	使役	－	－	＋	動詞	pa-pacay 殺
pangu-	用	－	＋	＋	動詞	pangu-dadavace用走的
sa-	當…時	－	＋	＋	動詞	sa-kaLulai 小孩時
si-	叫、帶、穿	－	＋	＋	動詞	si-(a)-zipulu （她）叫 zipulu
sini-	從	－	＋	－	動詞	sini-umauma 從田裡

su-	住	+	+	−	動詞	su-(a)-veDai霧台人
su-	吐	−	+	−	動詞	su-(a)-ngaLay 吐
ta-	感覺	+	−	−	動詞	ta-kacele 感覺很冷
taru-	到某個程度	−	−	+ (量詞)	動詞	tu-(a)-daane 蓋房子
tau-	洗	−	+	−	動詞	tau-(a)-Lima 洗手
tu-	做、蓋、生	−	+	−	動詞	tu-(a)-daane 蓋房子

表 3.2 魯凱語最常見的中綴

中綴	語意	附加在		構成為	例　子
		名詞上	動詞上		
-a-	實現	−	+	動詞	w-a-tubi 哭

表 3.3 魯凱語最常見的後綴

後綴	語意	附加在		構成為	例　子
		名詞後	動詞後		
-ana	還	−	+	動詞	kane-ana 還要吃
-(a)nga	完成	−	+	動詞	w-a-kane-nga 已經吃了

表 3.4 魯凱語最常見的前後綴

前後綴	語意	附加在			構成為	例　子
		名詞前後	數詞前後	動詞前後		
a-...-ane	名物化	−	−	+	名詞	a-salaza-ane 將要追
-in-..-ane	名物化	−	−	+	名詞	p-in-iLi-ane經過選舉的
ka-...-ane	真正	+	−	−	名詞	ka-kiping-ane山地衣服
kala-..-ane	季節	+	−	−	名詞	kala-beceng-ane 小米節

sa-...-ane	完成	+	−	+	名詞	sa-tw-a-tum-ane 工具
sanu-...-le	幾次	−	+	−	動詞	sanutuLulu 三次
ta-...-ane	空間、時間	+	−	+	名詞	ta-apeapec-ane 睡覺的地方或時間

表 3.5　魯凱語最常見的合成綴

合成綴	語意	附加在		構成為	例　　子
		名詞上	動詞上		
a-nga	命令	−	+	動詞	maL-a-anga 拿著！
la-maa-	多數	+	−	名詞	la-maa-tama 父子／女
Li-tara	一定會	+	+	動詞	Li-tara-udale 一定會下雨
ta-ra	在一段時間內	+	+（數詞）	名詞	ta-ra-caili 一年一次
ta-ra	擅長作…者	−	+	動詞	ta-ra-alupu 獵人
t-in-u...-ane	人和人的年紀關係	+	−	名詞	t-in-u-taka-ane 長輩

三、重疊詞

　　魯凱語霧台方言一般動詞詞根都可以重疊構成衍生詞。有些名詞（如： caili '年'、 dae '土'、 suLaw '蛇'等）也可以重疊，但大部份的名詞通常不能重疊。詞綴也不能重疊，但是重疊型式的詞根，通常可再附加詞綴以構成重疊衍生詞，如：

| 原詞 | 語意 | > | 重疊衍生詞 | 語意 |
| w-a-Lumay | 打 | > | w-a-**Luma**-Lumay | 正在打 |

| w-a-papacay | 殺 | > | ngy-a-**pa**-papacay | 自殺 |
| w-a-tubi | 哭 | > | ma-**ta**-tubi | 互相哭 |

不同重疊類型

霧台方言有四種重疊類型：

（1）(C)VCV(Y)　　　　＞　　　　(C)VCV-CVCV(Y)，

（2）C(Y)VCV　　　　＞　　　　C(Y)V-C(Y)VCV，

（3）CVCV　　　　＞　　　　CVV(CVV)-CVCV,

（4）(C)VCV(Y)　　　　＞　　　　(C)a-(C)VCV(Y)。

這四種會隨著詞根為名詞或動詞，在語意上會有所不同，以下分別討論之。

（1）第一類重疊型式：(C)VCV(Y) > (C)VCV-CVCV(Y)

　　　第一種為重疊詞根的前兩個音節（但字尾若為輔音，則不包含在內），所構成的新字，表該名詞的複數、狀態動詞的起始貌和動態動詞的進行貌，如：

(1)　名詞重疊：

	原詞	語意	>	重疊詞	語意
雙音節詞	dae	土	>	**dae**-dae	土地、地球
	agi	弟弟、妹妹	>	**agi**-agi	弟弟(妹妹)們
三音節詞	caili	年	>	**cai**-caili	年年
	veDay	霧台村	>	**veDa**-veDay	霧台鄉

例句：

<u>swaveDaveDaz</u>-aku

[屬於霧台　　-我]

‘我是霧台鄉人’

　　　注意：大部份的名詞，如： abay ‘米糕’、 beeke ‘家豬’、 azazame ‘鳥’等不能重疊。要表示該名詞的複數時，必須在名詞前附加表示複數的前綴 la-，如： la-abay ‘很多米糕’、 la-beeke ‘很多（家）豬’、 la-azazame ‘很多鳥’。

(2)　狀態動詞重疊：

	原詞	語意	>	重疊詞	語意
三音節詞	ma-busuku	醉	>	ma-**busu**-busuku	常常醉
	ma-atharili	好；漂亮	>	ma-a-**thari**-tharili	更漂亮

例句：

kai　　　ababayane,　　luDeelane　arua-<u>kaatharitharili</u>

[這　　　女人　　　　看時　　　更漂亮]

‘這個女人看起來越來越漂亮’

(3)　動態動詞重疊：

	原詞	語意	>	重疊詞	語意
雙音節詞	wa-kane	吃	>	wa-**kane**-kane	正在吃
	wa-tubi	哭	>	wa-**tubi**-tubi	正在哭
三音節詞	wa-DaLay	跳舞	>	wa-**DaLa**-DaLay	正在跳舞
	wa-ungulu	喝	>	wa-**ungu**-ungulu	正在喝

例句：

watubitubi　　ka　　　　Lulay

[正在哭　　　主格　　　小孩]

'小孩（正）在哭'

（2）第二類重疊型式：C(Y)VCV > C(Y)V-CVCV

第二種爲重疊詞根的第一個音節（包括滑音和元音），所構成的新字表該名詞有「不真實」或「小的」之意，如：

(1)　名詞重疊：

	原詞	語意	>	重疊詞	語意
雙音節詞	ngyaw	貓	>	**ngya**-ngyaw	貓的畫
	kwange	槍	>	**kwa**-kwange	槍、玩具
三音節詞	kaange	魚	>	**ka**-kaange	小魚
	daane	房子	>	**da**-daane	小房子

例句：

kikay　　　**kwa**kwange

[這　　　玩具槍]

'這是玩具槍'

（3）第三類重疊型式：CVCV(Y) > CVV(CVV) -CVCV

第三類重疊爲重疊詞根的第一個輔音和兩個接近元音，所構成的新字表該動詞，有「一直」或「常常」之意，如：

(1)　動詞重疊：

	原詞	語意	>	重疊詞	語意
雙音節詞	mwa-Daza	往上爬	>	mwa-**Daa**-Daza	一直往上爬
	wa-kane	吃	>	wa-**kae**-kae-kaane	常常吃
三音節詞	i-baLiw	在家	>	i-**bai**-baLiw	一直在家
	wa-Lumay	打	>	wa-**Lua**-Lua- Luumay	常常打

例句：

<u>waLuaLuaLuumay</u>　　ki　　zipulu　　ka　　takanaw

[打　　　　　　　斜格　　zipulu　　主格　　takanaw]

'takanaw 常常打 zipulu'

　　注意：若動詞含有「習慣」之意，通常說者會把第一個子音和兩個接近的元音重覆兩次，也會把最後的元音拉長。

（４）第四類重疊型式：(C)VCV(Y) > (C)a-CVCV(Y)

　　第四種為重疊詞根的第一個輔音並加上元音／a／，成為一新音節。若詞根為元音開頭，只要加上／a／在該詞的詞根前。除了少數幾個詞，如：wa-Deele '看'，一般必須附加詞綴，如 ngi- '自己'或 ma- '互相'在該重疊詞前，重疊詞才會有意義。第四種重疊只適用於動詞，如：

(1)　動詞重疊：

	原詞	語意	>	重疊詞	語意
元音開頭	wa-iipi	吹	>	ma-**a**-iipi	互相吹
輔音開頭	wa-tubi	哭	>	ma-**ta**-tubi	互相哭
	wa-papacay	殺	>	ngy-a-**pa**-papacay	自殺
	wa-Deele	看	>	wa-**Da**-Deele	小心

例句：

<u>matatubi</u>　　　　ka　　　　　lamaalala

[互相哭　　　　主格　　　兩個朋友]

'兩個朋友一起哭（=互相哭)'

合成重疊

這四種重疊型式都可以合成爲新字，如：

wa-tubi	哭	>	ma-ta-tubi-tubi	正在一起哭
wa-Lumay	打	>	ma-La-Lua-Lua-Lumay	常常互相打
wa-davace	離開	>	wa-da-dava-davace	正在走路

四、外來語借詞

魯凱語從日語及西班牙語借進一些詞彙，如：

日語借詞

guruguci	小偷	sunate	紙
zikane	時間	uDungu	麵
cukui	桌子	huungu	書

西班牙語借詞

paysu	錢

第 *4* 章
魯凱語的語法結構

　　本章所探討的魯凱語句法結構，分別針對簡單句結構（包括：詞序、格位標記系統、代名詞系統、主動式及被動式、時貌（語氣）系統、存在句（所有句及方位句）、祈使句和使役句、否定句、疑問句）及複雜句結構等做分析，以下分述之。

一、詞序

　　魯凱語的句子可分為動詞子句和名詞子句，以下分別討論之。值得注意的是，謂語（無論是動詞或名詞）通常都會出現在句首，因此可把魯凱語歸類在動詞在句首的語言。

動詞子句

　　動詞後可出現名詞或代名詞，但這些論元的詞序會有所不同，以下分述之。

（1）名詞（組）的詞序

出現在動詞後的名詞組詞序相當自由，換句話說「動詞—主語—賓語」或「動詞—賓語—主語」都是很常見的詞序。例句如下：

1a. waDeele   <u>ku   takanaw</u> *ki*   *zipulu*   （VSO）

[看   主格   takanaw 斜格   zipulu]

'takanaw 看到 zipulu'

b. <u>kyaaba</u>   *ki*   *iina*   <u>ka lalake-li</u>   （VOS）

[被背   斜格   媽媽   格   小孩-我的]

'我的小孩被媽媽背'

但句子中，若有兩個可當作主事者的名詞（組），聽話者常會把出現在動詞後的第一個名詞分析為主事者，比較 (2a-b)：

2a. pa-salaza-a   <u>ki   tawpungu</u> *ki*   *lalake-ini*

[讓-追-使   斜格   狗   斜格   孩子-他的]

'叫<u>狗</u>追他的小孩'

b. pa-salaza-a   <u>ki   lalake-ini</u>   *ki*   *tawpungu*

[讓-追 -使   斜格   孩子 -他的   斜格   狗]

'叫<u>他的小孩</u>追狗'

　　有時候，我們也會看到動詞不出現在句首的情形，例如：若句子中有主題或否定詞，則主題或否定詞將會出現在句首。例句如下：

3a. ku　　　takanaw　　waDeele ki　　zipulu
　　[主格　takanaw　　看　　斜格　zipulu]
　　'takanaw 看到 zipulu'

　b. kai　　kyaaba　　ki　　iina　　ka　　lalake-li
　　[不　　被背　　斜格　媽媽　主格　小孩-我]
　　'我的小孩沒有被媽媽背'

　　出現在動詞前當主題的名詞有限制：一般來說，只有代表「主事者」的名詞（組）才能移到句首，比較 (4a-b)。

4a. ka　　aama　waungulu　　ku　　bava
　　[主格　爸爸　喝　　　斜格　酒]
　　'爸爸喝酒'

　b. *ku　　bava　waungulu　ka　　aama
　　[斜格　酒　喝　　主格　爸爸]

　　在交談上，(4b) 不合句法的原因是因為聽話者會把出現在句首的「受事者」分析為「主事者」，但是如果該受事者是特定或指涉性，則可出現在句首當主題，例如：

4c. [ku　　bava　ka　　aama] kyaungulu　ki　　kaaka
　　[斜格　酒　主格　爸爸　被喝　　斜格　哥哥]
　　'爸爸的酒被哥哥喝'

（2）代名詞的基本詞序

　　當句子中表參與者為代名詞而不是名詞時，詞序會有所改變。代名詞跟名詞分布的差異在於，前者有比較固定的詞序－主格代名詞必須出現在斜格代名詞之前，可參見(5a-b)。但斜格代名詞可出現在一個名詞的前後，比較(6a-b)。原因在於，主格代名詞為後綴，所以永遠附加在出現在句首的動詞上。而斜格代名詞為自由式，所以可在句子中移動。

5a. waLumaz-<u>aku</u>　　 *musuane*（VSO，S和O為代名詞）

　　 [打　　-我　　 你]

　　 '我打你'

　b. *waLumay *musuane*　　<u>aku</u>

　　 [打　　　 你　　　　 我]

　　 （*VOS，S和O為代名詞）

6a. wakela　　 <u>nakuane</u> *ka*　　 takanaw

　　 [到　　　 我　　 主格　 takanaw]

　　 'takanaw 到我這裡來'

　　 （ VOS，S為名詞而O為代名詞）

　b. wakela　　 *ka*　　 *takanaw* <u>nakuane</u>

　　 [到　　　 主格　 takanaw　 我]

　　 'takanaw 到我這裡來'（VSO，S為名詞而O為代名詞）

　　值得注意的是，出現在動詞前當主題的代名詞有限制：一般來說，只有代表「主事者」的自由式代名詞才能出現在句首。例句如下：

7a. <u>kunaku</u>　　waLumaz-aku　　ki　　takanaw

　　[我　　　打　　　-我　　斜格　takanaw]

　　'我（啊），我打（過）takanaw'

　b. *<u>nakuane</u>　waLumay　ku　　　　takanaw

　　[我　　　打　　　　主格　　　takanaw]

　　句子中若有否定詞，則附著式主格代名詞必須附著該否定詞上。相反地，斜格代名詞或其他名詞不能。比較 (8b-d)：

8a. wabaaz-aku　　iniane　　ku　　paysu

　　[給　　-我　他　　斜格　錢]

　　'我給他錢'

　b. kai-<u>naku</u>　wabaay　　iniane ku　　paysu

　　[不-我　　給　　　他　斜格　　錢]

　　'我沒給他錢'

　c. *kai　<u>iniane</u>　wabaaz-aku　　ku　　　paysu

　　[不　他　　給　　-我　斜格　錢]

　d. *kai　<u>kunaku</u>　wabaaz-aku　　iniane　ku　　　paysu

　　[不　我　　給　　-我　他　斜格　錢]

（3）名詞子句

　　有些句子句首的謂語為一名詞組，亦即該句子乃由兩個名詞組組合而成，構成所謂的名詞子句。

9.（<u>kikay</u>）_{名詞（組）}　　（lalake-numi）_{名詞（組）}

　　[這　　　　　　孩子-你們]

　　'這是你們的孩子'

　　綜合上述，可把魯凱語的基本詞序表如下：

表 4.1　魯凱語的基本詞序

	論元為名詞（組）	論元為代名詞
動 詞 子 句	1. 動詞-主語-賓語 或 動詞-賓語-主語	1. 動詞-主語-賓語，*動詞-賓語-主語
	2. 主語-動詞-賓語	2. 主語-動詞-賓語
	3. [＋有定性或指涉性]賓語-動詞-主語	3. ——
	4. 否定詞動詞-主語-賓語／賓語-主語	4. 否定詞-主語 [附著式代名詞]動詞-賓語
名 詞 子 句	名詞（組）	名詞（組）

二、格位標記系統

　　魯凱語的格位標記共分主格和斜格兩大類，而這兩大類格位標記又會隨著其後的名詞為「看得見」或「看不見」而有所改變；同時斜格會因名詞是表「有生命」或「無生命」再細分。魯凱語的格位標記系統，如下表所示：

表 4.2 魯凱語的格位標記系統

名　詞	格位標記		
	主　格	斜　格	
		有生命	無生命
看得見	**ka**		**ka**
		ki	
看不見	**ku**		**ku**

　　主格出現在表示文法主語的名詞前，如例 (1a-b)；斜格則出現在表示非文法主語的名詞前，如例 (2a-d)：

1a.　watubi-nga　　<u>ka</u>　　vavalake
　　　[哭　-了　　　主格　小孩]
　　　'（這個、可看見的）小孩哭了'

 b.　watubi-nga　　<u>ku</u>　　vavalake
　　　[哭　-了　　　主格　小孩]
　　　'（那個、看不到的）小孩哭了'

2a.　wapapacay　　ka / ku　　aama　　<u>ki</u>　　cumay
　　　[殺　　　　主格　　爸爸　斜格　熊]
　　　'（我）爸爸殺熊，'

 b.　kyalangaz-aku　<u>ki</u>　　langepaw　ku　　huungu
　　　[被買　-我　斜格　男子名　　斜格　書]
　　　'langepaw 賣給我（一本）書'

 c.　wakanekane-su　<u>ka</u>　　belebele
　　　[吃　　　　-你　斜格　香蕉]

'你在吃香蕉（看得見）'

d. wakanekane-su　　<u>ku</u>　　belebele

　　[吃　　　　-你　　斜格　香蕉]

　　'你常常吃香蕉（看不見）'

三、代名詞系統

代名詞可分為人稱、指定和疑問代名詞三種，以下分別討論之。

魯凱語的人稱代名詞可分為四套：主題、主格、斜格和屬格。主格代名詞和屬格代名詞是附著式；主題代名詞和斜格代名詞是自由式。魯凱語人稱代名詞系統如下表所示：

表 4.3 魯凱語的人稱代名詞系統

(注意：'−'表示「不出現」)

人稱代名詞			主題	主格	斜格	屬格
數	人	稱	自由式	附著式	自由式	附著式
單數	一		kunaku	-(n)aku, naw-	nakuane	-li
	二		kusu	-su	musuane	-su
	三	看得見	kuini	−	iniane	-ini
		看不見	kuiDa	−	−	−
複數	一	包含式	kuta	-ta	mitaane	-ta
		排除式	kunai	-nai	naiane	-nai
	二		kunumi	-numi 和-nu	numiane	-numi
	三	看得見	kuini	−	iniane	-ini
		看不見	kuiDa	−	−	−

人稱代名詞形式說明

魯凱語的代名詞有以下的特性：

（１）缺少第三人稱（單數、複數）主格的標記和性別的區分，比較（1a-b）：

1a.　makawakane-nga-<u>su</u>　？

　　　[吃完-了-你]

　　　'你吃完了嗎　？'

　b.　makawakane-nga-<u>∅</u>　？

　　　[吃完-了-∅]

　　　'他／她吃完了嗎　？'

（２）第一人稱分包含式和排除式兩種：前者包括說話者與聽話者，後者只包括說話者而不包括聽者，例如：

2a.　ila-<u>ta</u>　　ki-kali

　　　[去-咱們 挖-野地瓜]

　　　'咱們去挖野地瓜'

　b.　(L)i-ki-kali-<u>nai</u>

　　　[非實現-挖-野地瓜-我們]

　　　'我們（不包括你）將挖野地瓜'

人稱代名詞分布說明

魯凱語的人稱代名詞有以下的分布：

（1）第一人稱（單數）和第二人稱（複數）主格代名詞
有兩種： -(n)aku 和 naw- ， -numi 和 -nu。雖然它們有
完全相同的語法功能，但它們在句子裡出現的位置及頻率
相異。

　　-(n)aku 只能附加在動詞後，而 naw- 通常附加於動詞
前，有「想要」之意，因此後者不常出現。另外， -(n)aku
可出現在否定詞後，而 naw- 不能。比較 (3a-b)和 (3c-d)：

3a.　(L)i-apece-<u>naku</u>

　　　[非實現-睡-我]

　　　'我將（去）睡'

　b.　<u>kai-naku</u>　　(L)i-apece

　　　[不-我　　　非實現-睡]

　　　'我不會（去）睡'

　c.　<u>naw</u>-apece

　　　[我-睡]

　　　'我想睡'

　d.　*<u>naw-kai</u>　　apece

　　　[我-不　　睡]

　　-numi 和 -nu 呈現互補分布： -numi 附加在一般動
詞後，而 -nu 只能附加在 a- '為什麼'。比較 (4a-b)和
(4c-d)：

4a.　watubi-<u>numi</u>

　　　[哭　　-你們]

　　　'你們（在）哭'

　b.　*<u>a-numi</u>　　　　tubi？

　　　[為什麼-你們　　哭]

　c.　*watubi-<u>nu</u>

　　　[哭-你們]

　d.　<u>a-nu</u>　　　　　tubi？

　　　[為什麼-你們　　哭]

　　　'你們為什麼哭？'

（2）一般來說，附著式代名詞的語音形式比自由式代名詞還要短。例如，魯凱語第二人稱單數的主格代名詞 -su 為單音節，但斜格自由式代名詞 musuane 為四個音節。

　　　除了形式的區別之外，附著式代名詞和自由式代名詞句法的表現也很不同。通常，自由式代名詞的分布比較自由，而附著式代名詞固定出現在謂語之後。例如，斜格代名詞可出現在句中，如 (5a) 或句尾，或如 (5b)；而主格代名詞附加在謂語之後，比較 (6a-b)。

5a.　waLumay　<u>musuane</u>　ku　　zipulu

　　　[打　　　你　　　　主格　zipulu]

　　　'zipulu 打你'

　b.　waLumay　ku　　　zipulu　　<u>musuane</u>

　　　[打　　　主格　　zipulu　　你]

'zipulu 打你'

6a. waLumaz-<u>aku</u>　　　musuane

　　[打　　　-我　　　你]

　　'我打你'

　b. *waLumay　　　musuane <u>aku</u>

　　[打　　　　　你　　　我]

　　　注意：當主題的自由式代名詞分布與其他自由式代名詞有很顯著的不同。這一套代名詞只能出現在句首，表示一種強調的意思，所以不常出現。而且該代名詞時必有呼應的附著式代名詞同時出現在動詞後。另外，句中如有否定詞，附著式主格代名詞會附著在否定詞上，但自由式代名詞不可以。例句如下：

7a. <u>kusu</u>　ka　　swaveDay-su！

　　[你　　主題　　屬於魯凱族-你]

　　'你這個魯凱族的人！'

　b. *<u>kusu</u>　ka　　swaveDay-∅！

　　[你　　主題　　屬於魯凱族-∅]

　c. swaveDay-<u>su</u>！

　　[屬於魯凱族-你]

　　'你這個魯凱族的人！'

　d. *ka　　　swaveDay　　<u>kusu</u>！

　　[主題　　屬於魯凱族　　你]

　　'你這個魯凱族的人！'

8a.　kusu　　ka　　kai　　swaveDay-su！

　　　[你　　主題　不　　屬於魯凱族-你]

　　　'你（啊）不是魯凱族的人！'

　b. *kai　　kusu　　　ka　sw-a-veDay-su！

　　　[不　　你　　　　　屬於-實現-魯凱族-你]

　c.　kai-su　　ka　　swaveDay！

　　　[不-你　　主題　屬於魯凱族-你]

　　　'你不是魯凱語人！'

代名詞的語法和語意功能說明

（1）主格代名詞

　　主格代名詞是句子中的主語，表示主事者或經驗者，例如：

9a.　walangaz-aku　　kuiya　ku　huungu

　　　[買　　-我　　昨天　斜格　書]

　　　'我昨天買了書'

　b.　mwaakuluD-aku

　　　[怕　　　-我]

　　　'我很怕'

（2）斜格代名詞

斜格代名詞指的是句子中的非主語，其語意功能很豐富，可表示受事者、方位參與者或受惠者。例句如下：

10a. waLumaz-aku　　musuane !

　　[打　　-我　　你]

　　'我打你'

　b. wakela　musuane　ka　　takanaw !

　　[到　　　你　　主格　takanaw]

　　'takanaw 到你那裡去！'

　c. wasaawLi　　ka　　aama　　musuane　　ku

　　[還　　　主格　爸爸　　你　　　斜格

　　paysu !

　　錢]

　　'爸爸還給你錢'

（3）屬格代名詞

屬格代名詞附著在名詞組後，因此沒有任何句法功能。語意功能上則表示名詞組中的屬有者，例句如下：

11. wasalaza　　ki　　　　lalake-su　　ka

　　[追　　　斜格　　小孩-你的　主格

　　tawpungu

　　狗]

　　'狗追你的小孩'

四、主動式和被動式

在大多數的台灣南島語言中，主語（無論是事件中的主事者、受事者、方位參與者、受惠者或工具參與者）均由動詞的詞綴來標示之。魯凱語則不同：該語言由動詞詞綴（w- / ki-）所標示的是主動式或被動式的語態。主動式時，主語為主事者；被動式時，主語為受事者。比較（1a-b）：

1a. <u>w-a-kaace</u>　　ki　　kaaka　ka　　suLaw

　　[主-實現-咬　斜格　哥哥　主格　蛇]

　　'蛇咬我的哥哥'

 b. <u>ky-a-kaace</u>　　ka　　kaaka　ki　　suLaw

　　[被-實現-咬　主格　哥哥　斜格　蛇]

　　'我的哥哥被蛇咬'

有些動詞沒有被動式，例如 syaamece '帶'、 wapiLi '選'、 wacabu '包起來'等，有些動詞則沒有主動式，例如 kyalepenge '躲起來'，如下表所示：

表 4.4 魯凱語主動式和被動式

（注意：在表中，'－'表示此動詞形式不出現）

詞彙	主動 w-	例句	被動 ki-	例句
烤地瓜	w-a-icibi	w-a-icib-aku ku urasi 我烤地瓜	－	－
烤肉	w-a-akame	w-a-akam-aku ku butulu 我烤肉	－	－

煮	w-a-aga	w-a-aga-ng-aku 我煮了飯	—	—
包	w-a-cabu	w-a-cabu-aku ku kaange 我包魚	—	—
吃	w-a-kane	w-a-kane-aku ku belebele 我吃香蕉	ky-a-kane	ky-a-kane ku belebele -li 我的香蕉被吃
喝	w-a-ungulu	w-a-ungulu-ng -aku ku bava 我喝了酒	ky-a-ungulu	ky-a-ungulu ku bava 酒被喝
打	w-a-Lumay	w-a-Lumaz-aku iniane 我打他	ky-a-Lumay	ky-a-Lumay nakuane 他被我打
追	w-a-salaza	w-a-salaz-aku ki lasu 我追（那）個男的	ky-a-salaza	ky-a-salaza ka lasu （那個）男的被追
抓	w-a-rithuku	w-a-rithuk- aku ki gurucuki 我抓到小偷	ky-a-rithuku	ky-a-rithuku ka gurucuki （那個）小偷被抓
踢	w-a-tetere	w-a-teter-aku ki lavavalake 我踢小孩	ky-a-tetere	ky-a-tetere ka lavavalake 小孩被踢
殺	w-a-papacay	w-a-papacaz-aku ki cumay 我殺熊	ky-a-papacay	ky-a-papacay ka cumay 熊被殺
燒	w-a-lama	w-a-lama-aku ku daane-su 我燒你的房子	ky-a-lama	ky-a-lama ka daane-su 你的房子被燒
背	w-a-aba	w-a-ab-aku ku lalake-li 我背我的小孩	ky-a-aba	ky-a-aba ku lalake-li 我的小孩被背
帶	si-a-amece	si-a-amec-aku ku urasi 我帶地瓜	—	—

選	w-a-piLi	w-a-piLi-aku ku huungu 我選書	—	—
開門	mw-a-elebe	mw-a-eleb- aku 我開門	ky-a-muelebe	ky-a-muelebe ki maupaupa 門被小偷打開
關門	w-a-elebe	w-a-eleb-aku 我關門	ky-a-elebe	ky-a-eleb-aku 我被關起來
躲	—	—	ky-a-lepenge	ky-a-lepeng-aku 我躲起來
躲	w-a-lepenge	w-a-lepeng-aku ki baza 我躲起來等敵人	—	—
藏	w-a-sekete	w-a-seket-aku ku Laabu 我藏（那個）刀	—	—
給	w-a-baay	w-a-baaz-aku iniane ku paysu 我給他錢	ky-a-baay	ky-a-baay nakuane ku paysu 我給他錢
借入	—	—	ky-a-saaLu	ky-a-saaLu nakuane ku paysu 有人向我借錢
還	w-a-saawLi	w-a-saawLi-aku iniane ku paysu 我還給他錢	—	—
買	w-a-langay	w-a-langaz-aku ku huungu 我買書	—	—
賣	—	—	ky-a-langay	ky-a-langaz-aku ku huungu（我）賣給他書

　　以上的被動式（ky-）是由主事者主控事件。魯凱語還發展出另外一種被動形式，由 kw-來表示。kw-出現時，表示經驗者無法主控事件，反而受到影響，如下表所示：

表 4.5 魯凱語的兩種被動式

詞彙	被動 ki-	例句	被動 ku-	例句
燒	ky-a-lama	ky-a-lama daane-su 你的房子被燒	kw-a-lama	kw-a-lama ku daane-su 你的房子燒了
打	ky-a-Lumay	ky-a-Lumaz-aku 我被打	kw-a-Lumay	kw-a-Lumaz-aku 我受傷

　　只要加 w- , ky- , kw-，有些名詞（如：蟑螂、雨、颱風等）也可構成爲主動或被動之動詞：

表 4.6 魯凱語構成爲主動或被動之名詞

詞彙	原詞	主動 w-	被動 ki-	被動 ku-
雨	udale	w-a-udale 下雨	ky-a-udal-aku 我被雨趕走	w-a-udale ku becenge 小米被雨弄壞
颱風	vaLigi	w-a-vaLigi 有颱風	ky-a-vaLigi 被風吹走	kw-a-vaLigi ku daedae 路被颱風弄壞

五、時貌（語氣）系統

　　魯凱語的時貌可分爲實現和非實現兩種，其中實現又可分成標示過去已發生、完成的事件，和正在進行的事件，

或習慣性的事件三類；而非實現可指未來可能會發生，或希望發生但沒發生的事件，以下分別討論之。

實現

　　魯凱語的實現式表示有兩種方式來呈現，一種是利用動詞的詞綴或重疊，另一種則是利用時間副詞來標示。

　　表示實現的事件，則有 -a- 附加在主動或被動的動詞間來標示之，參見（1a-b）。

1a.　w-a-langaz-aku　　　ku　　　daane
　　　[主-實現-買-我　　斜格　　房子]
　　　'我買房子'

　b.　ky-a-langaz-aku　　　ku　　　daane
　　　[被-實現-買-我　　斜格　　房子]
　　　'我賣掉房子'

　　值得注意的是，如句子中沒有其他標記（如「時間副詞」或「詞綴」），則無法決定該事件是否表示過去已發生或正在發生。

　　動詞除了有 -a- 之外，尚有 -nga 附加在動詞之後，或句中出現時間副詞（如「昨天」、「以前」等），則該動詞可表示過去發生、已完成的事件，例如：

2a.　w-a-kane-ng-aku　　　ku　　　belebele
　　　[主-實現-了-我　　斜格　　香蕉]
　　　'我吃了香蕉'

b. ky-<u>a</u>-kane-<u>nga</u>   ku   belebele-li

[被-實現-吃-了   斜格   香蕉-我的]

'我的香蕉被吃了'

c. w-<u>a</u>-kane-naku   <u>kuiDa</u>   ku   belebele

[主-實現-我   昨天   斜格   香蕉]

'我昨天吃（了）香蕉'

d. ky-<u>a</u>-kane   <u>kuiDa</u>   ku   belebele-li

[被-實現-吃   昨天   斜格   香蕉-我的]

'昨天，我的香蕉被吃了'

此外，動詞若有部份重疊，可以表示一個正在進行或習慣性的事件。比較（3a-b）和（3c-d）：

3a. <u>w-a-ungu-ungulu</u>   ka   baava ka   aama

[主-實現-重疊-喝   斜格 酒   主格   爸爸]

'爸爸在喝酒'

b. <u>ky-a-ungu-ungulu</u>   ka   baava

[被-實現-重疊-喝   主格 酒]

'有人在喝酒'

c. <u>w-a-Lua-Lua-Luumay</u>   nakuane ka   aama

[主-實現-重疊-重疊-打 我   主格 爸爸]

'爸爸常打我'

d. <u>ky-a-Lua-Lua-Luumaz-aku</u> ki   aama

[被-實現-重疊-重疊-打-我 斜格   爸爸]

'我常常被爸爸打'

非實現

　　非實現可指兩種事件：第一種指未來可能會發生的事件，第二種指希望發生但沒發生的事件。

　　至於未來可能會發生的事件，則由 (L)i- 附加於動詞前來標示之，如例 (4)。

4.　lu-ikai-nga-naku　　ku　　　paisu-li,　　(L)i-langaz-aku

　　[如果-有-了-我　　斜格　　錢-我的　　非實現-買-我

　　ku　　　daane

　　斜格　　　房子]

　　'如果我有錢，我會買房子'

　　如句子中的動詞為主動式，w- 就不能出現，而句子中的動詞如果為被動式，(L)i- 就必須附加在 ki- 之前，比較 (5a-b)。

5a.　(L)i-langaz-aku　　　ku　　　daane

　　[非實現-買-我　　　斜格　　房子]

　　'我將買房子'

　b.　(L)i-ki-langaz-aku　　　ku　　　daane

　　[非實現-被-買-我　　　斜格　　房子]

　　'我將賣房子'

　　至於希望發生但沒發生的事件，則由 nai- 附加在動詞前來標示之，如例 (6)。

6. ana-ikai-nga-naku ku   paisu-li, <u>nai</u>-langaz-aku

[如果-有-了-我   斜格 錢-我的 非實現-買-我

ku   daane

斜格 房子]

'如果我有錢，我早就買房子了'

綜合上述，可把魯凱語的時貌列表如下：

表 4.7 魯凱語的時貌系統

	實　　現				非　實　現	
	完成 / 進行	完　成	進行	習慣	可能會 發生	不可能 發生
主動	w-a-	wa-... -nga	wa- + 副詞	wa-+ 重疊	wa-+ 重疊	(L)i-	nai-
被動	ky-a-	kya-...- nga	kya-+ 副詞	kya-+ 重疊	kya-+ 重疊	(L)i-ki-	nai-ki-

六、存在句（所有句、方位句）結構

動詞如 y-(a)-kai 可出現在存在句、所有句和方位句。通常，該動詞出現在句首，例句如下：

1a. 存在句

<u>yakai</u>   ipingi   ka   angatu

[有   房子旁邊 主格 樹]

'房子旁邊有一棵樹'

b. 所有句

yakai　　　ku　　　　paysu-li
[有　　　主格　　　錢-我的]
'我有錢'（=我的錢存在）

c. 方位句

yakai　　lataDe　　ka　　　iina
[在　　　外面　　　主格　　媽媽]
'媽媽在外面'

　　如果 y(a)kai 出現在方位句的中間，則不能帶任何時貌標記，如表示「實現」的 -a- ；或表「非實現」的 (L)i-，比較 (2a-b)-(2c-d)：

2a. y-a-kai　　ki　ngiuku　apece　ka　Lulay
[實現-在　　搖籃　睡　　主格　嬰兒]
'嬰兒在搖籃裡睡'

b. (L)i-kai　　ki　ngiuku　　apece　ka　　　Lulay
[非實現-在　　搖籃　睡　　主格　　嬰兒]
'嬰兒將睡在搖籃裡'

c. waapece　　ka　　Lulay　ikai/*y-a-kai　ki　ngiuku
[睡　　主格　嬰兒　在　　　搖籃]
'嬰兒睡在搖籃裡'

d. (L)i-waapece　ka　Lulay　ikai/*(L)i-kai　ki　ngiuku
[非實現-睡　　主格　嬰兒　在　　　搖籃]
'嬰兒將睡在搖籃裡'

　　此外，方位句可由前綴 y- [i-] 來代替，出現在名詞前，構成表「在…」之動詞，比較（3a-b）：

3a. <u>y-a-kai</u>　<u>belenge</u>　ki　cukui　　　ka　　　aLaLegele
　　[實現-有 上　　　　桌子　　主格　蒼蠅]
　　'桌子上有蒼蠅'

　b. <u>y-a-belenge</u>　　ki　cukui　ka　　　aLaLegele
　　[實現-上　　　　桌子　主格　　蒼蠅]
　　'桌子上有蒼蠅'

　　否定存在句、所有句和方位句會有所不同，分別由 kaDua '沒有' 和 kai '不' 來標示之。 kaDua 出現在存在句和所有句，而 kai 則出現在方位句。例句如下：

4a. 存在句

　　<u>kaDua</u>　ipingi　　　ka　　　angatu
　　[沒有　房子旁邊　主格　樹]
　　'房子旁邊沒有樹'

　b. 所有句

　　<u>kaDua</u>　ku　　　paysu-li
　　[沒有　　主格　　錢-我的]
　　'我沒有錢'

　c. 方位句

　　<u>kai</u>　waagaaga　ka　　iina　i-lataDe
　　[不　煮　　　主格　媽媽　在-外面]

'媽媽不在外面煮飯'

　　綜合上述，可把魯凱語的存在句、所有句、方位句表如下：

表 4.8 魯凱語的存在句、所有句、方位句

句子結構	肯　　定	否　　定
存在句	yakai	kaDua
所有句	yakai	kaDua
方位句	yakai 或 i- + 方位名詞（構成表方位動詞）	kai

七、祈使句和使役句結構

　　本節將探討魯凱語的祈使句和使役句，以下分別介紹之。

　　肯定和否定的祈使句，在動詞上會有不同的標示：肯定祈使句由 -a 附加於動詞的詞根，而否定祈使句由出現在句首的 ara 來標示之，同時動詞會重疊。比較 (1-2)：

1a.　<u>kane-a</u>　！

　　　[吃-祈使]

　　　'吃！'

　b.　<u>ungul-a</u>　！

　　　[喝-祈使]

　　　'喝！'

2a. <u>ara</u>   <u>kane-kane</u> !

[別   重疊-吃]

'別吃！'

b. <u>ara</u>   <u>ungu-ungulu</u> !

[別   重疊-喝]

'別喝！'

pa- 附加於動詞前，構成表使役之動詞，有「使…」之意，而除了 w-之外，pa- 可以與其他動詞上的詞綴（如：Li- , ki-等）同時出現。例句如下：

3a. 肯定、實現主動句

<u>pa</u>-lama   ku   daane   ki   aama

[使-燒   斜格   房子   斜格   爸爸]

'有人叫爸爸燒房子'

b. 肯定、非實現主動句

<u>(L)i</u>-<u>pa</u>-lama   ku   daane   ki   aama

[非實現-使-燒   斜格   房子   斜格   爸爸]

'有人將叫爸爸燒房子'

c. 否定、實現主動句

<u>kai</u> <u>pa</u>-lama ku   daane ki   aama

[不 使-燒   斜格   房子 斜格   爸爸]

'沒有人叫爸爸燒房子'

d. 否定、非實現主動句

kai (L)i-pa-lama　　ku　　daane　ki　　aama
[不　非實現-使-燒　斜格　房子　　斜格　爸爸]
'沒有人將叫爸爸燒房子'

e. 肯定、實現被動句

ky-a-pa-lama　　　　ku　　daane　ki　aama
[被-實現-使-燒　　斜格　房子　斜格　爸爸]
'有人叫爸爸燒房子'

f. 肯定、非實現被動句

(L)i-ki-pa-lama　　　ku　　　daane　ki　　aama
[非實現-被-使-燒　斜格　　房子　斜格　爸爸]
'有人將叫爸爸燒房子'

g. 否定、實現被動句

kai ky-a-pa-lama　　ku　　daane　　ki　　　aama
[不　被-實現-使-燒　斜格　房子　　斜格　爸爸]
'沒有人叫爸爸燒房子'

h. 否定、非實現被動句

kai　(L)i-ki-pa-lama　　ku　　daane　　ki
[不　非實現-被-使-燒　斜格　房子　　斜格
aama
爸爸]
'沒有人將叫爸爸燒房子'

i. 肯定、祈使句

pa-lama-a　　ku　　daane　ki　　aama

[使-燒-命令　斜格　房子　斜格　爸爸]

'叫（人家）燒爸爸的房子'

j. 否定、祈使句

ara　　pa-lama-lama　　ku　　　daane　　ki　　　aama

[別　　使-重疊-燒　　斜格　房子　　斜格　爸爸]

'別叫（人家）燒爸爸的房子'

表 4.9 魯凱語的祈使句和使役句結構

句子結構	肯定	否定
祈使句	動詞 + -a	ara 重疊-動詞
使役句	pa- + 動詞	kai pa-動詞

八、否定句結構

魯凱語主要有三種否定詞： kai、 kaDua 和 ara 。以上我們已經指出 kai 出現在名詞子句、陳述句、方位句和使役句； kaDua 出現於存在句和所有句；ara 的分布很有限，只能出現在祈使句中。下表列出魯凱語的主要三種否定詞的功用：

表 4.10 魯凱語的否定詞

句　　　形	否　定　詞
名詞子句 陳述句 方位句 使役句	kai
存在句 所有句	kaDua
祈使句	ara

例句如下：

1a. 否定名詞子句

　　<u>kai</u>-su　ka　　tama　nakuane

　　[不-你　主格　爸爸　我]

　　'你不是我的爸爸'

　b. 否定陳述句

　　<u>kai</u>　w-a-salaza　ki　　la-vavalake　ka

　　[不　　主-實現-追　斜格　複-小孩　　　主格

　　tawpungu

　　狗]

　　'（那隻）狗沒有追小孩'

c. 否定方位句

kai	w-a-tubi	ku	lalake-su	i-daane
[不	主-實現-哭	主格	小孩-你的	在-房子]

'你的小孩不在房子裡哭'

d. 否定使役句

kai	pa-icibi	ku	urasi	ki	kaaka	ka
[不	使-烤	斜格	地瓜	斜格	哥哥	主格

aama

爸爸]

'爸爸沒叫我哥哥烤地瓜'

2a. 否定存在句

kaDua	ipingi	ka	angatu
[沒有	房子旁邊	主格	樹]

'房子旁邊沒有樹'

b. 否定所有句

kaDua	lalake-su
[沒有	小孩-你的]

'你沒有小孩'

3. 否定祈使句

ara	le-lebe !
[別	重疊-關門]

'別關門！'

九、疑問句結構

　　疑問句可分為兩大類：是非問句和含疑問詞的疑問句，以下分別介紹之。

是非問句

　　第一類疑問句是非問句，語法上不加任何標記，但是句尾的語調會有所不同，比較 (1a-b)-(2a-b)。

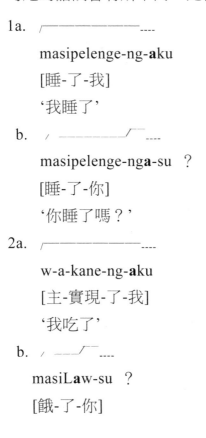

1a.

masipelenge-ng-aku

[睡-了-我]

'我睡了'

　b.

masipelenge-nga-su ？

[睡-了-你]

'你睡了嗎？'

2a.

w-a-kane-ng-aku

[主-實現-了-我]

'我吃了'

　b.

masiLaw-su ？

[餓-了-你]

‘你餓嗎？’

含疑問詞的疑問句

第二類的疑問句中的疑問詞可分為含疑問代名詞、疑問動詞和疑問副詞等三種。

（１）疑問代名詞

疑問代名詞如：aneane ‘誰’、 manemane ‘什麼’、 ainu ‘哪一個’ 都可出現在句首當作句子中的謂語，而整個句子為名詞子句。例句如下：

3a. <u>aneane</u>　 ku　　 mwaakuLuDu　　　 musuane ？
　　 [誰　　 主格　 怕　　　　　　　　 你]
　　 ‘誰怕你？’

 b. <u>manemane</u>　 ku　　 piya-su ？
　　 [什麼　　　　 主格　 做-你的]
　　 ‘你做什麼？’

 c. <u>ainu</u>　　　　 ku　　 daane-su ？
　　 [哪一個　　 主格　　 房子-你的]
　　 ‘你的房子是哪一個？’

在 (3a-b)， aneane 和 manemane 出現在句首，表示句子中的主事者。在 (4a-b)， aneane 和 manemane 出現在動詞之後，是指示句子中的受事者。

4a. mwaakuLuDu-su　　 ki　　 <u>aneane</u> ？
　　 [怕　　　　　　 -你　 斜格　 誰]

‘你怕誰？’

b. madalame-su ku   manemane ？

[喜歡 -你 斜格   什麼]

‘你喜歡什麼？’

在這兩個疑問詞前可附加詞綴，如：

5a. sy-a-aneane   ku   lalake-ini ？

[叫-實現-誰   主格   小孩-他的]

‘他的小孩叫什麼名字？’

b. ngw-a-manemane-su   kela   kai veDay ？

[坐-實現-什麼-你   到   這 霧台]

‘你坐什麼到霧台來 ？’

為了表示‘哪一個（人）’或‘哪一個（東西）’，可把 sa- 附加在 aneane 或 ainu 之前。saneane 和 saiunu 可出現在句首或句中，但句子的結構有所不同：前者為名詞子句而後者則是動詞子句。例句如下：

6a. saneane   ki   takanaw   si   zipulu ku

[哪一個人 斜格   takanaw   和   zipulu 主格

w-a-kane   ku   belebele ？

主-實現-吃   斜格   香蕉]

‘哪一個吃香蕉， takanaw 或 zipulu？’

（= takanaw 和 zipulu 之間哪一個吃香蕉？）

b. ma-da-dalame-su　　　ki　　　saneane　　　ki

[狀態-重疊-喜歡-你　斜格　哪一個人　斜格

takanaw　si　　zipulu　？

takanaw　和　zipulu]

'你比較喜歡誰，takanaw 或 zipulu？'

（＝takanaw 和 zipulu 之間，你比較喜歡誰？）

7a. lu　　ka　saininu　ki　　　taupungu si　　ngiaw ku

[lu　　ka　哪一個　斜格　狗　　　　和　貓　　主格

w-a-kaace　　　ki　　　suLaw　？

主-實現-咬　　斜格　蛇]

'哪一個咬蛇，狗或貓　？'

（＝貓和狗之間，哪一個咬蛇？）

b. ma-da-dalame-su　　　ki　　　saininu　　　kane

[狀態-重疊-喜歡-你　斜格　哪一個　　　吃

ku　　　pagai si　udungu　？

斜格　飯　　和　麵]

'你比較喜歡吃什麼，飯還是麵？'

（２）疑問動詞

　　魯凱語有以下幾個動詞性疑問詞： piia／tapia／talupiale '多少'。雖然沒有那麼強的證據，我們在此還是把 a- '爲什麼' 歸類在疑問動詞。這幾個疑問詞只能出現在句首，不能出現在句中或句尾。

　　雖然 piia 、 tapia 和 talupiale 都可以表達 '多少' 的意義，三者出現的情況不太相同， piia 只能用在不屬人的名詞， tapia 只能用在屬人的名詞，而 talupiale 只能用在可數的名詞。比較 (8a-c)：

8a. piia　　　　ku　　　paisu-su　 ?

　　[多少　　　斜格　　錢-你]

　　'你有多少錢？'

 b. tapia ku　　　lalake-su　 ?

　　[多少　斜格　　孩子-你]

　　'你有幾個孩子？'

 c. talupiale　　ku　　　daane-su　 ?

　　[多少　　　斜格　　房子-你]

　　'你有幾棟房子？'

　　通常，主格代名詞會附加在 a- '為什麼' 之後。注意：-nu '你們' 的用法較特別，只能附加在 a- 之後，但在其他地方從不出現，參見 (9a-b)。

9a. a-su　　　　　　tubi　 ?

　　[為什麼-你　　　哭]

　　'你為什麼哭？'

 b. a-nu / *a-numi　　ma-La-Lumay　 ?

　　[為什麼-你們　　　互相-重疊-打]

　　'你們為什麼互相打？'

（3）疑問副詞

　　疑問副詞如 inu '哪裡' 或 igane '什麼時候' 只能出現在句子中間。

　　附著代名詞可出現在第一個動詞或 inu 之後，比較 (10a-b)。 inu 前可附加詞綴，構成動詞，參見 (10c)。

10a. yakai-su inu　　apece ？
　　 [在-你　　哪　　睡]
　　 '你睡在哪裡？'

　b. yakai　　inu-su　　apece ？
　　 [在　　　哪 -你　　睡]
　　 '你睡在哪裡？'

　c. mw-a-inu-su ？
　　 [往-實現-哪-你]
　　 '你去哪裡？'

　　ku- 或 lu- 必須附加在 igane 之前，表示過去或未來的時間，參見 (11a-b)。

11a. w-a-Deele-su　　ku-igane　　　iniane
　　 [主-實現-看-你　　過去-什麼時候　他]
　　 '你什麼時候看過他？'

　b. (L)i-Deele-su　　lu-igane　　　iniane
　　 [非實現-看-你　　未來-什麼時候　他]
　　 '你什麼時候會看到他？'

綜合上述，可把魯凱語的疑問詞表如下：

表 4.11　魯凱語的疑問詞

（注意：＋表示出現，而－表示不出現）

語意	疑問詞	詞性	句法功能	句法分布	
				句首	句中或句尾
誰	aneane	名詞	謂語／論元	＋	＋
什麼	manemane	名詞	謂語／論元	＋	＋
哪一個	ainu	名詞	謂語／論元	＋	－
哪裡	inu	名詞	論元／副詞	－	＋
多少　+屬人 -屬人 +可數	tapia piia talupiale	動詞	動詞	＋	－
為什麼	a-	詞綴	動詞	＋	－
過去 什麼時候 未來	kuigane luigane	名詞	副詞	－	＋

十、複雜句結構

本節所要探討的是魯凱語的複雜句結構，可分為補語結構、關係子句、對等結構和副詞子句四大類來討論，以下分述之。

補語結構

此部份探討的補語結構可分連動結構、樞紐結構、認知結構三種，以下分別討論之。

（1）連動結構

連動結構是指句子中含有兩個動詞，這兩個動詞所表的事件之主事者為同一人。魯凱語的連動結構有以下的特性：

第一類含有 pathagili '開始'、 mwakuLuDu '怕'、madalame '喜歡'、 akuaDaw '很大聲'、 maLidale '快'、kiasamula '用心' 等動詞，出現在句首。連動結構中的兩個動詞之間沒有任何標記。例句如下：

1a. <u>pathagili</u> ∅　<u>kithiathiangale</u>　ki
　　[開始　　　　學　　　　　　斜格

　　muDaDekazane　ka　zipulu
　　魯凱語　　　　　主格　zipulu
　　'zipulu 開始學魯凱語'

　b. <u>mwaakuLuD-aku</u>　∅　<u>papacay</u> ki　babuy
　　[怕　　　　-我　　　殺　　斜格　山豬]
　　'我怕殺山豬'

　c. <u>madalam-aku</u> ∅　<u>alupu</u>
　　[喜歡-我　　　　　打獵]
　　'我喜歡打獵'

　d. <u>akuaDaw</u>　∅ <u>senay</u>　ka　takanaw
　　[很大聲　　　唱歌　　主格　takanaw]
　　'takanaw 唱得很大聲'

e. <u>maridale</u> ∅ <u>dadavace</u> ka zipulu
[快 走路 主格 zipulu]
'zipulu 走得很快'

f. <u>kiasamula</u> ∅ <u>kaungu</u> ka takanaw
[用心 工作 主格 takanaw]
'takanaw 很用功'

第一類連動結構有以下的特性：

(1) 只有第一個動詞會以時貌或命令標記加在詞根的 形
式出現，第二個動詞則仍是非限定式動詞，比較 (2a-b)
和 (3a-b)。

2a. pathagili-<u>nga</u> kithiathiangale ki muDaDekazane
[開始-了 學 斜格 魯凱語

ka zipulu
主格 zipulu]

'zipulu 已經開始學魯凱語了'

b. *pathagili kithiathiangale-<u>nga</u> ki
[開始 學-了 斜格

muDaDekazane ka zipulu
魯凱語 主格 zipulu]

3a. pathagil-<u>a</u> senay-∅ ！
[開始-命令 唱歌]
'開始唱歌'

b. *pathagil-a   senaz-a ! [1]

[開始-命令   唱歌-命令]

(2) 連動結構中表示共同主事者的名詞可出現在兩個動之
    後，也可以出現兩個動詞之間，參見 (4a-b)。

4a. pathagili ka   zipulu   kithiathiangale   ki

[開始   主格   zipulu 學   斜格

muDaDekazane

魯凱語]

'zipulu 開始學魯凱語'

b. pathagili kithiathiangale ka   zipulu   ki

[開始   學   主格   zipulu 斜格

muDaDekazane

魯凱語]

'zipulu 開始學魯凱語'

---

[1] 但是我們發現在 bwala!'來！'之後第二個動詞必須接命令的詞綴，

比較 (1a-b)：

1a. bwal-a   mubanav-a !

[來-命令   洗(澡)-命令]

'來洗澡'

b. *bwal-a   mubanaw-∅ !

[來-命令   洗(澡)]

(3)　共同的主事者不能重覆出現在第二個動詞之後，
　　　(5a-b)。

5a.　(L)i-mw-<u>aku</u>　　　　ka　　　taipaku　langay-∅
　　　[非實現-去-我　　　斜格　　台北　　　買

　　　ku　　　lacenge
　　　斜格　　菜]
　　　'我會到台北去買菜'

　b.　*(L)i-mw-<u>aku</u>　　ka　　　taipaku　langaz-<u>aku</u>
　　　[非實現-去-我　　斜格　　台北　　　買-我

　　　ku　　　lacenge
　　　斜格　　菜]

表　4.12　魯凱語的連動結構

第一動詞可以是	句子結構	特性	例子
pathagili '開始' madalame '喜歡' mwakuLuDu '怕'	動詞 ∅ 動詞	1. 只有第一個動詞會以時貌或命令標記加在詞根的形式出現。 2. 第二個動詞則是非限定式動詞。 3. 共同主事者不能重覆出現在第二個動詞之後。	<u>madalam</u>-aku ∅ <u>alupu</u> '我喜歡打獵'

（2）樞紐結構

　　樞紐結構是指句子中含有兩個動詞，這兩個動詞所表的事件有不同的主事者，而第二個主事者同時是第一個動詞的受事者。

　　這一類結構含有 kyatubi '請求'、 kawriw '說／告訴' 等動詞，出現在句首；這種結構的主要特性在於 la '就' 出現在兩個動詞之間，而且第二個動詞屬於非限定式動詞。例句如下：

8a. kyatubi-aku　　iniane　*la*　　(L)itara-kela　luiya
　　[請求-我　　　他　　就　　一定要-到　　明天]
　　'我請求他明天來'

　b. kawriv-aku iniane　*la*　　langai　　ku　　huungu
　　[說-我　　　他　　就　　買　　　斜格　書]
　　'我叫他買書'

　　注意：若 waDeele '看' 等動詞出現在句首， sa- '當（時）' 就會附加在第二個動詞前，且該動詞形式為非限定式動詞。例句如下：

9.　w-a-Deel-aku　　　ki　　takanaw　　sa-Lumay
　　[主-實現-看-我　　斜格　takanaw　　當-打
　　ki　　　　zipulu
　　斜格　　　zipulu]
　　'我當時看到 takanaw 打 zipulu'

表 4.13 魯凱語的樞紐結構

第一動詞可以是：	句子結構	特性	例子
kyatubi '請求' kawriw '說，告訴'	動詞 la 動詞	第二個動詞則為非限定式動詞	kyatubi-aku iniane la Li-tara-kela luiya '我請求他明天來'
waDeele '看'	動詞 sa- 動詞	第二個動詞則為非限定式動詞	waDeel-aku ki takanaw sa-Lumay ki zipulu '我當時看到 takanaw 打 zipulu'

（3）認知結構

　　認知結構是指句子中含有兩個動詞，且第一個動詞有「認知」之意，如 wathingale 和 ngyathathingale '知道'。認知結構可分為兩類：第一類主要特性在於 sa- '當（時）'附加在第二個動詞前，且該動詞構成為非限定式。例句如下：

10a. w-a-thingal-aku　　　sa-Lumay　　ka　　　takanaw

　　　[主-實現-知道-我　　當-打　　　主格　　takanaw

　　　ki　　zipulu

　　　斜格　　zipulu]

　　　'我知道（因為我當時看到）takanaw 打 zipulu'

b. ngy-a-tha-thingale　　　ka　　takanaw
[自己-實現-重疊-知道　主格　　takanaw
sa-pasaLisaLiw
當-錯]
'takanaw （當時）知道他不對'

第二類句型則有 alaka '因此' 出現在兩個動詞之
間，且第二個動詞屬於限定式動詞。例句如下：

11a. w-a-thingal-aku　　alaka　w-a-Lumay　　ka
[主-實現-知道-我　因此　主-實現-打　主格
takanaw　　ki　　zipulu
takanaw　　斜格　zipulu]
'我知道 takanaw 打 zipulu'

b. ngy-a-tha-thingale　　　　ka　　　takanaw　　alaka
[自己-實現-重疊-知道　　主格　takanaw　　因此
pasaLisaLiw
錯]
'takanaw 知道他不對'

表 4.14 魯凱語的認知結構

第一動詞可以是	句子結構	特性	例子
wathingale '知道' ngyathathingale '知道'	動詞 sa-動詞	第二個動詞則為非限定式動詞。	w-a-thingal-aku sa-Lumay ka takanaw ki zipulu '我知道（因為我當時看到）takanaw 打 zipulu'
	動詞 alaka 動詞	第二個動詞則為限定式動詞。	w-a-thingal-aku alaka w-a-Lumay ka takanaw '我知道 takanaw 打 zipulu'

關係子句

　　一般的關係子句可分為限定關係子句和非限定關係子句。但是，我們目前認為，魯凱語沒有第二類的關係子句。可把 (1a) 當作限定關係子句，但無法把 (1b) 分析為非限定關係子句:

1a. yakai　ku　　ababay [ku　　madalame-li　turamuru]
　　[有　　主格　女孩　　　喜歡-我的　　很]
　　'有個我很喜歡的女孩子'

　b. yakai　ku　　ababay　[la　　kadalam-aku　turamuru]
　　[有　　主格　女孩　　　就　　喜歡-我的　　很]
　　'有個女孩子，我很喜歡'

　　魯凱語關係子句的中心名詞可當主語，如 (2a)；或賓語，如 (2b)。但是結構上會有所不同：該名詞當主語時，關係子句的動詞爲限定式動詞；該名詞當賓語時，關係子句的動詞構成爲名物化之動詞形式。在這兩個句型中，中心名詞不會重覆出現在關係子句裡。

2a. [ka sy-a-ebele　　ka　　　duduli　∅] ka　　　ababay
　　[　穿-實現-大衣 主格　　紅　　　　主格　女的

　　ay　　　lalake-li
　　主題　孩子-我的]
　　'穿（那件）紅色大衣的女孩是我的小孩'

　b. [pa-langay-li　iniane ∅　kuiya] ku　　　huungu
　　[叫-買-我的　他　　∅　昨天　斜格　書

　　ka　kaDua kululudane
　　　沒有　意思]
　　'我昨天賣給他的書沒有意思'

　　上述兩種結構中，關係子句內的動詞可有實現／非實現的區別，比較 (3a-b) 和 (4a-b)：

3a. [kaavay　　w-a-ibiibi　　ki　Lulay]　ka
　　[那　　　　主-實現-抱　斜格　小孩　　主格

　　tina　　　ay　　　mathariri
　　媽媽　　主題　好]

'抱小孩的那個媽媽很好'

b.　[kaavay　(L)i-ibiibi　　　ki　　　Lulay]　　ka

　　[那　　　主-非實現-抱　　斜格　　小孩　　　主格

　　tina　　　　ay　　　mathariri

　　媽媽　　　主題　　　好]

　　'將抱小孩的那個媽媽很好'

4a.　kuLagane[ka　kane-ini]　　　ku　　　belebele

　　[細　　　　　吃-他的　　斜格　香蕉]

　　'他吃的香蕉（很）小'（他已經把香蕉吃掉了）

b.　kuLagane[ka　　(L)i-ka-a-kane-ane-ini]　　　　　ka

　　[細　　　　　　非實現-名物化-吃-名物化-他的　斜格

　　belebele

　　香蕉]

　　'他要／將吃的香蕉（很）小'

對等結構和對比子句的比較

　　對等結構和對比子句同樣是指兩個（或兩個以上）具有相同語法作用的單位，在同一個結構中聯繫在一起。魯凱語由 si '和' 把名詞、動詞或子句連接起來，構成為對等結構，如 (1a-c)；對比子句由 ay '主題標記' 連結兩個動詞或兩個子句，如 (2a-b)。

1a.　maDaw-nga　ka　　lalake ki　　takanaw　si

　　[大-了　　　主格　小孩　斜格　takanaw　和

　　　zipulu

　　　zipulu]

　　　'takanaw 和 zipulu 的小孩已經長大了'

b. maeLenge <u>si</u> kariLay ka zipulu

[高 和 瘦 主格 zipulu]

'zipulu 又高又瘦'

c. ka takanaw ay kai w-a-apu-apu

[主格 takanaw 主題 不 主-實現-重疊-吐

<u>si</u> kai ungu-ungulu ku bava

和 不 重疊-喝 斜格 酒]

'takanaw 不吃檳榔也不喝酒'

2a. maeLenge <u>ay</u> mabituLu ka zipulu

[高 主題 胖 主格 zipulu]

'zipulu （很）高但是（很）胖'

b. w-a-thingale senay <u>ay</u> kai w-a-thingale

[主-實現-知道 唱歌 主題 不 主-實現-知道

DaLay ka takanaw

跳舞 主格 takanaw]

'takanaw 會唱歌但是不會跳舞'

這兩種句型之間主要的差異在於：

（１）出現在對等結構的第二個動詞（也就是出現在 si 之
　　　後的那個動詞）是非限定式動詞，而出現在對比子
　　　句的動詞是限定式動詞，比較 (3a-b)。

3a. maeLenge ka   zipulu si   kabituLu
 [高   主格   zipulu 和   胖   ]
 'zipulu 又高又胖'

 b. maeLenge ka   zipulu ay   mabituLu
 [高   主格   zipulu 主題 胖   ]
 'zipulu（很）高但是（也很）胖'

（2）出現在 si 之後的動詞可省略而出現在 ay 之後的動
　　　詞不能省略，比較 (4)-(5)。

4a. madalame kane ku   kaange ka   takanaw
 [喜歡   吃   斜格 魚   主格 takanaw
 si kadalame kane ku   aga
 和 喜歡   吃   斜格   飯]
 'takanaw 喜歡吃魚也喜歡吃飯'

 b. kai   madalame kane   ku   kaange   ay
 [不   喜歡   吃   斜格   魚   主題
 madalame kane ku   aga   ka   takanaw
 喜歡   吃   斜格 飯   主格 takanaw]
 'takanaw 喜歡飯吃但是不喜歡吃魚'

5a. madalame kane ku   kaange ka   takanaw
 [喜歡   吃   斜格 魚   主格 takanaw
 si   ∅   ku   aga
 和   ∅   斜格 飯]

'takanaw 喜歡吃魚（也喜歡吃）飯'

b. * madalame kane ku kaange <u>ay</u> kai ∅

[喜歡 　　吃 　斜格 魚 　　主題 不 ∅

ku aga ka takanaw

斜格 飯 主格 takanaw]

表 4.15 魯凱語的對等結構和對比子句的比較

標記	句子結構	特性
si '和'	名詞 si 名詞 動詞 si 動詞 子句 si 子句	1.出現在對等結構的動詞是非限定式動詞 2.出現在si之後的動詞可省略
ay '主題'	動詞 ay 動詞 子句 ay 子句	1.出現在對比子句的動詞是限定式動詞 2.出現在ay之後的動詞不能省略

副詞子句

　　副詞子句是指一個子句附屬於另一個子句，構成爲主從句。這兩個不同等的句子成分之間，通常有個連接詞把從句和主句連接起來。副詞子句可分爲原因子句、讓步子句、效果子句、目的子句、時間子句和條件子句。我們在此將討論的是原因子句/效果子句和時間子句/條件子句。魯凱語的原因子句和效果子句、時間子句和條件子句在句法和語意上都有很密切關係，所以我們以下將比較這兩大類句型。

（１）原因子句和效果子句

　　原因子句和效果子句之間有以下共同的特性：

(1) 通常，表示原因的子句出現在句首而表示結果的子句出現在句尾。

(2) 效果子句可稱為名詞子句，原因在於：ku 出現在效果子句之前，該子句裡出現的動詞是不定式動詞，而動詞後附加的代名詞都是屬格代名詞。

(3) 在效果子句前出現兩個詞 la '就' 和 kamani '是'，第一個是副詞，第二個當謂語。

原因子句和效果子句之間有以下的差異：

(1) 效果子句連接的句子是主句：該子句裡出現的動詞是限定式動詞。原因子句並不能稱為主句，因為該子句裡出現的動詞是非限定式動詞，比較例句 (1)-(2)。

(2) 效果子句所連接的主句之前沒有任何標記，如 (2a-b)。原因子句含有出現在句首的 amani '是'，和附加在動詞前的詞綴 sa- '當'，如 (1a-b)。例句如下：

1a. amani sa-udaudale la   kamani   ku   kai
    [是   當-下雨   就   是   連繫詞   不
    ka   mulataaDe-ini
    　　 出去-他的]
    '因為下雨所以他就沒有出去'

 b. amani sa-kaeceme la   kamani   ku   kai
    [是   當-生病   就   是   連繫詞   不
    ka   kane-ini ku   aga
    ka   吃-他的   斜格   飯]

'他因爲生病所以沒吃飯'

2a. kai kialaLalaLa ka   Lulay la   kamani

[不   聽   主格 小孩 當 是

ku   Lumay   ki   tina-ini

連繫詞 打   斜格 媽媽-他的]

'因爲小孩不聽話,所以他的媽媽就打他'

b. maLas-aku iniane la   kamaniku   kai ka

[討厭-我 他   就 是   連繫詞 不

mwa   karuDange iniane

去   結婚   他]

'因爲我討厭他所以沒有嫁給他'

表 4.16 魯凱語的原因子句和效果子句

句子結構	原因子句	效果子句
標記	[amani sa-動詞]	[la kamani ku 動詞]
特性	1.出現在句首 2.動詞爲非限定式動詞	1.現在句尾 2.可把效果子句稱爲名詞子句

（２）時間子句和條件子句的比較

時間子句和條件子句有以下共同的特性：

(1) 通常,時間子句和條件子句出現在句首。

(2) 一個詞綴（如 sa- '當'、lu- '時、如果'、ana- '假如'）
附加在該副詞子句的第一個謂語前（動詞或否定詞）

而該謂語爲非限定式動詞；主句的動詞是限定式動詞。

(3) 時間子句和條件子句可指事件已過去沒有發生，或是還沒或不會發生。除把這兩種副詞子句分爲過去和非過去兩種之外，可以依語意的不同把它們再細分：時間子句分爲表示兩個事件同時發生，如 (1a)，還是一個事件發生在另一個之前或之後，如 (1b) 和 (2a-b)。而條件子句可分爲假 定（主句所表的事件可能會發生），如 (4b) 和 (5b)，或是反實現（主句所表的事件從不會發生），如 (4a) 和 (5a)。

(4) 出現在主句的表時間的標記符號會有所不同，比較 -a- '過'、(L)i- '將、會' 和 nai- '早就'。例句如下：

1a. <u>sa</u>-karuDang-aku　　mathathibur-aku
　　[當-結婚-我　　　　怕-我]
　　'我結婚的時候很怕'

　b. <u>lu</u>-maka-kaung-aku,　(L)i-kane-aku ku　　aga
　　[當-完-工作-我　　　非實現-吃-我斜格　飯]
　　'我做完工作就會吃飯'

2a. kuiya　<u>sa</u>-maka-kane-aku　matwas-aku
　　[昨天　當-完-吃-我　　　出去-我]
　　'我昨天吃完飯後就出去'

　b. <u>lu</u>-maka-kane-nga-naku　　(L)i-katwas-aku
　　[當-完-吃-了-我　　　　非實現-出去-我]

‘我吃完飯後會出去’

3a. <u>sa</u>-<u>kai</u>-naku kela-ana   ay   udale
[當-不-我   來- 還   主題   下雨]
‘我還沒來之前就下雨了’

 b. <u>lu</u>-bana-banaw ka   lasu   w-a-sena-senay
[當-重疊-洗澡   主格   男人   主-實現-重疊-唱歌]
‘他每一次洗澡就（會）唱歌’

4a. <u>ana</u>-ikai ku   paisu-li, <u>nai</u>-langay-nga-naku
[假如-有   錢-我   非實現-買-了-我

ku   daane
斜格   房子]
‘如果我有錢，我早就買房子了’

 b. <u>lu</u>-ikai-nga-naku ku   paisu-li, (L)i-langaz-aku
[如果-有-了-我   錢-我   非實現-買-了-我

ku   daane
斜格   房子]
i. ‘如果我有錢，我會買房子’
ii. ‘我有錢的時候，我會買房子’

5a. <u>ana</u>-kadalam-aku ki   lasu,
[假如-喜歡-我   斜格   男人

<u>nai</u>-karuDange-nga-naku
非實現-結婚-了-我]
‘如果我喜歡（這個）男人，我早就（跟他）

結婚了'

b. lu-kadalam-aku　　ki　　lasu　　ay

[如果-喜歡-我　　斜格　男人　主題

(L)i-karuDange-naku

非實現-結婚-我]

'如果我喜歡（這個）/（一個）男人時，我會（跟他）結婚了'

6a. sa-Deel-aku　iniane,　pelaela-nga-naku

[當-看-我　　　他　　　告訴-了-我]

'我看到他時（就）告訴他了'

b. lu-Deel-aku iniane, (L)i-peLaela-naku

[當　看-我　他　　　非實現-告訴-我]

'我看到他時會告訴他'

表 4.17 魯凱語的時間子句和條件子句的比較

句子結構	時間子句	條件子句	條件子句
標記	[sa-動詞][主句]	[lu-動詞][主句]	[ana-動詞][主句]
語意	'當'	'如果'	'假如…早就'
特性	1.前綴附加在副詞子句的第一個謂語前(動詞或否定詞) 2.副詞子句裡的動詞為非限定式動詞；　主句的動詞是限定式動詞		
主句可出現的時貌標記	-a-	(L)i-	nai-

第5章

魯凱語的長篇語料

ruthaipane

(1) "ai, ai, culu-a   ku beeke-numi si pa-kane
    [唉 唉 殺 –命令 斜格豬 -我們 和 讓-吃
    ki   ruthaipane"
    斜格   ruthaipane]
    ' "唉，唉，殺我們的豬給 ruthaipane 吃" '

(2) "a naw-katwase-ana alupu" la yaku
    [啊 我 -走   -還 打獵   就 這樣
    taeLeLe-ini.
    先生 -她]
    '她的先生（就）說： "我要去打獵" '

(3) la LiaLingulu sasada kuini lasu
    [就 外面   休息   那   男]
    '（他打獵之後）在外面休息'

(4) la "ai, ai, pa-kadav-a, tikiane, ikai
    [就 唉   唉 讓-給-命令 太少   有

kasapu   kai"   ruthaipane   la   ya.

夠   不]   ruthaipane   就   這樣

'ruthaipane（又）說："唉，唉，給我 ...太少、

不夠"'

(5) "ani-ya   ku   azazame lu-kiLaL-aku"   la   ya

[為何-這樣 ku 鳥   當-聽 -我   就 這樣

kuini   tawane-ini.

那   先生 -她]

'她的先生（就問）："（我）怎麼會聽到一隻鳥（在

講話）？"'

(6) "ala naw-tu-kaange"   la   ya

[就 我-做-魚   就 這樣]

'他說："好了， 我就去釣魚"'

(7) la   katwase tu-kaange   kuini lasu la   pwapaene

[就 去   做-魚   那 男 就 準備

ku   geLethaethame,

ku 小塊肉   ]

'那個男的就去釣魚、準備小塊肉'

(8) "ai,   ai, kai pa-kamia" kai ruthaipane

[唉   唉 不 讓-吃   那 ruthaipane]

'ruthaipane 說："唉，唉，（你）給我得不夠"'

(9) la   katwase u-baLiw kuini   lasu.

[就 去   回-村 那   男]

　　　‘那個男的又回家去了’

(10) "ani-ya　　　kui　azazame"　la　　ya.
　　　[為何-這樣　那　鳥　　　　就　這樣]
　　　‘他說：“怎麼會有一隻鳥（在我身邊講話）？”’

(11) "ala lu-musela　　la　　pupaene　ku　cekecekebe"　la
　　　[　就當-再　　　　就　準備　　ku　大塊肉　　　就
　　　ya　　ku　ruthaipane
　　　這樣　ku　ruthaipane]
　　　‘ruthaipane 就回答說：“那，回到（河流）準備大塊肉”’

(12) la　　katwase　musela　ukaDavane　tu-kaange
　　　[就　去　　　再　　　河流　　　做-魚
　　　kuini　lasu
　　　那　　男]
　　　‘那男的又到河流去釣魚’

(13) la　　pupaene　ku　cekecekebe, pwa-taburu　ki
　　　[就　準備　　ku　大塊肉'　　弄　-打　　ki
　　　acilay.
　　　水]
　　　‘他就準備大塊肉。　（有個東西）打水’

(14) ala　makiLikiLiu　aLa　ka　tasikaLakaLathane ki
　　　[那　抓　　　　　拿　ka　手腕　　　　　　ki

ruthaipane.

ruthaipane]

‘（那個男的）抓到 ruthaipane 的手腕’

(15) "aLa-su ka amani ka tara-apapidaidaLe

[拿 -你 ka 是 ka 騙

nakuane" la ya kuini lasu.

我 就 這樣 那 男]

‘那個男的說：“（我）抓到你，（原來）是你在

騙我的”’

(16) si ubaLiu, la kela tavanane,

[和 回村 就 到 家名]

‘然後（他們）就回家’

(17) kaDapunge ku ruthaipane,

[濕 ku ruthaipane]

‘ruthaipane 濕’

(18) "amani ku tara-upiyayaya nakuane" la ya

[是 騙 我 就 這 樣

kuini taeLeLe-ini

那 先生 -她]

‘她的先生說：“（原來）是你騙我的”’

(19) la pwa puLapa kuini lasu.

[就 弄 開水 那 男的]

‘那個男的就煮開水’

(20) "bual-a,　　　naw-paw" la　ya　　ki　ruthaipane,

[來 -使　我 -洗頭　就　這樣　ki　ruthaipane]

'（他）對 ruthaipane 說："來，我要幫你洗頭髮"'

(21) la　pwa gugu　ku　kinuLapane awLu　ki

[就　弄　倒　　　ku　熱水　　　頭　ki

ruthaipane.

ruthaipane]

'然後他倒熱水在 ruthaipane 的頭上'

(22) "kikiki"　la　ya　　si　a-tila　la　mwa

[kikiki 就　這樣　和　變-老鼠　就　去

ki　taraeDaeDane.

ki　牆]

'（她出聲音）"kikiki"　就變成老鼠，進去牆裡'

第 6 章

魯凱語的基本詞彙

以下提供魯凱語常用的基本詞彙，依筆畫次序排列。

【國語】	【英語】	【魯凱語】

一劃

一	one	itha
一百	one hundred	idai

二劃

七	seven	pitu
九	nine	bangate
二	two	Dusa
人	person	umaumase
八	eight	vaLu
十	ten	mangeale

三劃

三	three	tuLu
下面	below, beneath	leebe
上面	above, up	belenge
口水	saliva	ngaLay

【國語】	【英語】	【魯凱語】
大的	big	maDaw
大腿	leg	vagisi
女人	woman	ababayane
小的	small	tikithane
小孩	child	lalake
小腿	leg	tulungu
山	mountain	LegeLege
山雞；雉	pheasant	padavazane

四劃

弓	bow	buu
弓弦	bowstring	calisi
五	five	Lima
六	six	eneme
切	cut	wakaciane
天	sky	belenge
太陽	sun	vai
心	heart	avaava
手	hand	Lima
手肘	elbow	piku
月	month	Damare
月亮	moon	Damare
木柴；樹木	tree, wood	angatu
水	water	acilay
火	fire	apuy
父親	father (reference)	tatama
牙齒	tooth	valisi

【國語】	【英語】	【魯凱語】

五劃

兄姊	older sibling	taaka
去	go	mwa
右邊	right	vanane
四	four	sepate
左邊	left	viri
打	hit	waLumay
打呵欠	yawn	masipepelenge
打開	open	walebe
打雷	thunder	DereDere
打嗝	belch	wabasenge
打穀	thresh	sialubu
打獵	hunt	walupu
母親	mother (reference)	tiatina
甘蔗	sugarcane	cubusu
生的	raw	ngeta
田	farm, field	umauma
田鼠	rat	kuLabaw
甲狀腺腫	goiter	lulungu
白天	day	vayane
皮膚	skin	bicingi
石	stone	Lenege

六劃

| 名字 | name | nagane |
| 吃 | eat | wakane |

【國語】	【英語】	【魯凱語】
回答	answer	twabaLe
地	earth	daedae
多少	how many	pia
好的	good	maatharili
尖的	sharp	magarange
年	year	caili
死的	dead	mapacay
灰煙	ashes	aabu
灰燼	dust	Tuvugu
竹子	bamboo	balebale
竹筍	sprout, bamboo shoot	tuburu
米	husked rice	berathe
羊	goat, sheep	kisisi
耳朵	ear	caLinga
肉	flesh	bwate
肋骨	rib	vigua
臼	mortar	luungu
血	blood	eray
血管	vein	tarazane
衣服	clothes	kipingi, laymay

七劃

作夢	dream	wasipi
你	thou	kusu
你們	you（pl.）	kunumi
冷的	cold	makecele
吹	blow	masasevere

【國語】	【英語】	【魯凱語】
吸	suck	wathepethepe
坐	sit	wanene
屁	fart	pilace
尿	urine	ruulu
弟妹	younger sibling	agi
我	I	kunaku
我們	we（exclusive）	kunai
抓	scratch	wagacegace
村莊；部落	village, tribe	cekele
沙	sand	enay
男人	man	sawvalay
肝	liver	athai
肚子；腹	belly	barange
芋頭	taro	tai
走	walk	wadadedavace
乳房	breast	thuuthu
來	come	wakela

八劃

呼吸	breathe	waiipi
夜晚	night	maungu
拍	tap	wavisivisi
抱	hold	wabarate
朋友	friend	taLagi
果實	fruit	maDu
枝	branch	palaka
林投；鳳梨	pandanus, pineapple	panguDale

【國語】	【英語】	【魯凱語】
松鼠	squirrel	bubuutu
松樹	pine-tree	aLenge
杵	pestle	asuLu
河流	river, brook	Dakerale
爸爸	father (address)	amaa
狗	dog	taupungu
知道	know	wathingale
肺	lung	paracungane
肥；油脂	fat, grease	sima
近的	close, near	adeethe
長矛	spear	Labu
長的	long	maLagi
雨	rain	udale

九劃

前面	front	cucubungu
厚的	thick	makuDemeLe
咬	bite	wakaace
咱們	we（inclusive）	kuta
屎	excreta	caki
屋子	house	daane
屋頂	roof	cavaLi
後面	back	lilikuDu
挖	dig	waLuku
指	point to	waciki
星星	star	tariaw
洗（衣服）	wash (clothes)	wasinaw

【國語】	【英語】	【魯凱語】
洗 (碗)	wash (dishes)	wasinaw
洗 (澡)	wash (bathe)	mabanaw
活的	alive	mwaDipi
看	see	waDeele
穿山甲	ant-eater, pangolin	karaza
胃	stomach	bicuka
苦的	bitter	mapalili
虹	rainbow	baLilawlaw
重的	heavy	mateLege
風	wind	vaLigi
飛	fly	nyapalay
飛鼠	flying squirrel	Lava
香菇	mushroom	tamaringi
香蕉	banana	belebele

十劃

借	borrow	kiasaaLu
哭	cry, weep	watubi
害怕	fear	mwaakuluDu
家豬；	pig,	beeke,
山豬	boar	babuy
射	shoot	wapana
拿	take	maLa
根	root	balace
烤	roast	waakame
笑	laugh	mwaLakay
草	grass	ubulu

【國語】	【英語】	【魯凱語】
蚊子	mosquito	tulawLawngu
豹	leopard	Likulaw
酒	wine	baava
配偶	spouse	tawvane
針	needle	inemay
閃電	lightening	Likace
骨	bone	cuuLale

十一劃

乾的	dry	mamwale
乾淨的	clean	mabuula
做工	work	wakaungu
偷	steal	wakuupa
唱	sing	wasenay
殺	kill	papacay
眼睛	eye	maca
蛇	snake	suLaw
蛋	egg	batuuku
陷阱	trap	kateme
魚	fish	kaange
鳥	bird	azazame
鹿	deer	salawngane

十二劃

喝	drink	waungulu
帽子	hat	tawpunu
游	swim	walanguy

【國語】	【英語】	【魯凱語】
煮	cook	waaga
猴子	monkey	twabuLu
番刀	sword	aDeme
短的	short	eDekane
等候	wait	waDaDaw
給	give	wabaay
菜餚	dishes	damay
買	buy	walangay
跑	run	walaylay
跌倒	fall	mwaDeke
跛腳	lame, crippled	pilapilay
雲	cloud	emeeme
飯渣	food particles caught between the teeth	tingase

十三劃

傷口	wound	dula
嗅	smell	wasabaLi
媽媽	mother(address)	ina
新的	new	baavane
暗的	dark	maDaDimidi
煙	smoke	ebeLe
痰	mucus	roolo
禁忌	taboo	twalisiane
腳；腿	foot	DapaLe
葉	leaf	vasaw
蜂蜜	honey	valu
跟隨	follow	twapaLa

【國語】	【英語】	【魯凱語】
路	road	kadaLanane
跳	jump	waituku
跳舞	dance	waDalay
鉤	hook	salakokuili
飽的	satiated	mabucuku

十四劃

嘔吐	vomit	wauta
摸	touch	wasulape
漂流	adrift, flow	mwaluDu
熊	bear	cumay
睡	sleep	waapece
蓆子	mat	sapaa
蒼蠅	fly	aLaLegele
蜜蜂	bee	valu
語言；話	language	vaga
說	talk	kawriva
輕的	light	maliapai
遠的	far	adaili
餌	bait	paene
鼻子	nose	ngunguane

十五劃以上

嘴	mouth	nguduy
敵人	enemy	baza
熟的	ripe	maLeme
熱的	hot	maDaLangeDange

【國語】	【英語】	【魯凱語】
稻	rice	pagay
箭	arrow	Laili
線	thread	vaLay
膝蓋	knee	paculu
蔬菜	vegetables	lacenge
蝨卵	nit	kucu
誰	who	aneane
賣	sell	kyalangay
醉	drunk	mabusuku
舖蓆子	lay mat	wasapa
樹林	forest	angaangatwane
燒	burn	walaubu
篩	winnow	twasapa
貓	cat	ngiaw
頭	head	awLu
頭目	chief	talyalalay
頭蝨	head louse	koco
頭髮	hair	isiw
龜	turtle	cukucuku
濕的	wet	maDapenge
縫	sew	wacaisi
膽	gall	pede
臉	face	Lingaw
薄的	thin	marubiri
鴿子	pigeon	tavage
黏的	sticky	mamadakici
擲	throw	wadukulu

【國語】	【英語】	【魯凱語】
檳榔	betel-nut	saviki
織布	weave	watinunu
舊的	old	masupiLi
藏	hide	wasekete
蟲	worm	LubaLubay
雞	chicken	kuuka
額	forehead	puunu
壞的	bad	maalisi
繩子	rope	calisi
關上	close	waelebe
霧	fog	emeeme
籐	rattan	uvay
露水	dew	lamu
聽	hear	kyaLala
髒的	dirty	makuDulu
鰻	eel	tula

魯凱語的參考書目

克來爾 (Saillard, Claire)

    1997   〈茂林方言：構詞與句法〉在《高雄縣南島語言》李壬癸編。高雄：高雄縣政府，8-118頁。

何大安 (Ho, Dah-an)

    1983   〈魯凱語的親屬關係〉《歷史語言研究所期刊》54.1：121-168.

李壬癸 (Paul Jen-kuei Li)

    1975   〈馬加音韻初步報告〉《國立臺灣大學考古人類學刊》37/38：16-28.

    1992   《台灣南島語言的語音符號系統》台北：教育部教育研究委員會。

    1997b   〈多納方言〉在《高雄縣南島語言》 李壬癸編。高雄：高雄縣政府，119-157頁。

Chen, Cheng-fu （陳承甫）

    1999   *Wh-words as Interrogatives and Indefinites in Rukai.* MA thesis, Taipei: National Taiwan University.

Ferrell, Raleigh （費羅禮）

    1969   *Taiwan Aboriginal Groups: Problems in Cultural and Linguistic Classification.* Taipei: Institute of

Ethnology, Academia Sinica. Monograph No.17.

Kuo Ching-hua （郭青華）

1979   *Rukai complementation.* (魯凱語的補語結構)
        MA thesis, Taipei: Fu Jen University.

Li, Jen-kuei （李壬癸）

1973   *Rukai structure.* (魯凱語結構) Taipei: Institute
        of History and Philology, Special Publications,
        No. 64.

1975   *Rukai texts* (魯凱語料) Taipei: Institute of
        History and Philology, Special Publications,
        No. 64.2.

1977   The internal relationships of Rukai (魯凱語內
        部之關係) *Bulletin of the Institute of History
        and Philology*, 48.1:1-92.

1996   The pronominal systems in Rukai. In the
        *Festschrift in honour of Professor Isidore
        Dyen.* 209-230. Hamburg: Abera Publishing
        House.

Ogawa, Naoyoshi and Asai Erin

1935   The myths and traditions of the Formosan
        native tribes. Taihoku: Taihoku Teikoku
        Daigaku Geng-gaku Kenkyu shitsu.

Saillard, Claire （克來爾）

1995   Is *Maga* accusative or ergative ？ Evidence from case marking (馬加方言是否賓格或作格語言？)《第一屆臺灣語言國際研討會論文選集》59-72. 台北：文鶴出版有限公司。

Shelley, George

1979   *Wudai ḍukai, the language, the context and its relationships* (魯凱語的霧台方言，語言，環境，關係) Ph.D dissertation, Hartford University.

Starosta, Stanley

1997   Formosan clause structure: Transitivity, ergativity, and case marking. In Tseng Chiu-yu (ed.) *Chinese Languages and Linguistics, IV: Typological studies of Languages in China.* Symposium Series of the Institute of History and Philology, Academia Sinica, No.2. Taipei: Academia Sinica.

Tsuchida, Shigeru（土田滋）

1976   *Reconstruction of Proto-Tsouic phonology.*（構擬古鄒語的語音系統）Study of Languages and Cultures of Asia and Africa Monograph Series

No. 5. Tokyo: Institute of Languages and Cultures of Asia and Africa.

Tu, Wen-chiu et al.

1991　A linguistic classification of Rukai Formosan. Paper presented at the Sixth International Conference on Austronesian Linguistics, University of Hawai'i。

Tu, Wen-chiu

1994　*A synchronic classification of Rukai dialects in Taiwan: a quantitative study of mutual intelligibility.* Unpublished Ph.D dissertation, Urbana: Illinois University.

Zeitoun, Elizabeth　（齊莉莎）

1995　*Issues on Formosan linguistics.* (台灣南島語言相關議題) Ph.D University, Paris: University of Denis Diderot (Paris 7).

1997a　Coding of grammatical relations in Mantauran (Rukai) (魯凱語萬山方言句法關係的表現) *Bulletin of the Institute of History and Philology,* 68.1: 249-281.

1997b　The pronominal system of Mantauran. (魯凱語萬山方言人稱代名詞) *Oceanic Linguistics,* 36.2: 114-148.

專有名詞解釋

三劃

小舌音 (Uvular)

發音時，舌背接觸或接近軟顎後的小舌所發的音。

四劃

互相 (Reciprocal)

用以指涉表相互關係的詞，如「彼此」。

元音 (Vowel)

發音時，聲道沒有受阻，氣流可以順暢流出的音，可以單獨構成一個音節。

分布 (Distribution)

一個語言成分出現的環境。

反身 (Reflexive)

複指句子其他成份的詞，如「他認為自己最好」中的「自己」。

反映 (Reflex)

直接由較早的語源發展出來的形式。

五劃

引述動詞 (Quotative verb)

　　用以表達引述的動詞，後面常接著引文，如「他說『…』」。

主事者 (Agent)

　　在一事件中扮演動作者或執行者之語法成分。

主事焦點 (Agent focus)

　　焦點的一種，主語為主事者或經驗者。

主動 (Active voice)

　　動詞的語態之一，選擇動作者或經驗者為主語，與之相對的為被動語態。

主題 (Topic)

　　句子所討論的對象。

代名詞系統 (Pronominal system)

　　用以替代名詞片語的詞。可區分為人稱代名詞、如「我、你、他」，指示代名詞，如「這、那」或疑問代名詞，如「誰、什麼」等。

包含式代名詞 (Inclusive pronoun)

　　第一人稱複數代名詞的形式之一，其指涉包含聽話者，如國語的「咱們」。

可分離的領屬關係 (Alienable possession)

　　領屬關係的一種，被領屬的項目與領屬者的關係為暫時

性的，非與生具有的，如「我的筆」中的「筆」和「我」，
參不可分離的領屬關係（inalienable possession）。

可指示的 (Referential)

具有指涉實體之功能的。

目的子句 (Clause of purpose)

表目的的子句，如「爲了…」。

六劃

同化 (Assimilation)

一個音受到其鄰近音的影響而變成與該鄰近音相同或相
似的音。

同源詞 (Cognate)

語言間，語音相似、語意相近，歷史上屬同一語源的詞
彙。

回聲元音 (Echo vowel)

重複鄰近音節的元音，而把原來的音節結構 CVC 變成
CVCV。

存在句結構 (Existential construction)

表示某物存在的句子。

曲折 (Inflection)

區分同一詞彙不同語法範疇的型態變化。如英語的 have
與 has。

有生的 (Animate)

名詞的屬性之一，用以涵蓋指人及動物的名詞。

自由代名詞 (Free pronoun)

可獨立出現，通常分布與名詞組相似的代名詞，相對附著代名詞。

舌根音 (Velar)

由舌根接觸或接近軟顎所發出的音。

七劃

刪略 (Deletion)

在某個層次原先存在的成分，經由某些程序或變化而不見了。如許多語言的輕音節元音在加詞綴後，會因音節重整而被刪略。

助詞 (Particle)

具有語法功能，卻無法歸到某一特定詞類的詞。如國語的「嗎」、「呢」。

含疑問詞的疑問句 (Wh-question)

問句之一種，以「什麼」、「誰」、「何時」等疑問詞詢問的問句。

完成貌 (Perfective)

「貌」的一種，事件發生的時間被視為一個整體，無法予以切分，參考「非完成貌」 (Imperfective)。

八劃

並列 (Coordination)

  指兩個句子成分在句法上的地位是相等的,如「青菜和
  水果都很營養」中的「青菜」與「水果」。

使動 (Causative)

  某人或某物造成某一事件之發生,可以透過特殊結構、
  動詞或詞綴來表達。

受事者 (Patient)

  句子中受動作影響的語意角色。

受事焦點 (Patient focus)

  焦點之一,其主語爲受事者,在南島語中,通常以- n 或
  -un 標示。

受惠者焦點 (Benefactive focus)

  焦點的一種,主語爲受惠者。

呼應 (Agreement)

  指存在於一特定結構兩成分間的相容性關係,通常藉由
  詞形變化來表達。如英語主語爲第三人稱單數時,動詞
  現在式須加 – s 以與主語的人稱及數呼應。

性別 (Gender)

  名詞的類別特性之一,因其指涉的性別區分爲陰性、陽
  性與中性。

所有格 (Possessive)

  標示領屬關係的格位,與屬格（Genitive）比較,所有
  格僅標示領屬關係而屬格除了標示領屬關係之外,尚可

標示名詞的主從關係。

附著代名詞 (Bound pronoun)

　無法獨立出現，必須附加於另一成分的代名詞。

非完成貌 (Imperfective)

　「貌」的一種，動作或事件被視爲延續一段時間，持續
　或間續發生。參考「完成貌」。

九劃

前綴 (Prefix)

　指加在詞前的詞綴，如英語表否定的 un-。

南島語系 (Austronesian languages)

　指分布在太平洋和印度洋島嶼中，北起台灣，南至紐西
　蘭，西至馬達加斯加，東至南美洲以西復活島的語言，
　約有一千二百多種語言。

後綴 (Suffix)

　加在一詞幹後的詞綴，如英語的 –ment。

指示代名詞 (Demonstrative pronoun)

　標示某一指涉與說話者等人遠近關係的代名詞，如「這」
　表靠近，「那」表遠離。

是非問句 (Yes-no question)

　問句之一種，回答爲「是」或「不是」。

衍生 (Derivation)

　構詞的方式之一，指詞經由加綴產生另一個詞，如英語

的 work 加 -er 變 worker。

重音 (Stress)

一個詞中念的最強的音節。

音節 (Syllable)

發音的單位，通常包含一個母音，可加上其他輔音。

十劃

原因子句 (Causal clause)

用以表示原因的子句，如「我不能來，因為明天有事」中的「因為明天有事」。

原始語 (Proto-language)

具有親屬關係的語族之源頭語言。為一假設，而非真實存在之語言。

時制 (Tense)

標示事件發生時間與說話時間之相對關係的語法機制，可分為「過去式」（事件發生時間在說話時間之前）、「現在式」（事件發生時間與說話時間重疊）、「未來式」（事件發生時間在說話時間之後）。

時間子句 (Temporal clause)

用來表示時間的子句，如「當...時」。

格位標記 (Case marker)

標示名詞組語法功能的符號。

送氣 (Aspirated)

　　某些塞音發音時的一種特色，氣流很強，如國語的/ㄆ/
　　(pʰ)音即具有送氣的特色。

十一劃

副詞子句 (Adverbial clause)

　　扮演副詞功能的子句，如「我看到他時，會轉告他」中
　　的「我看到他時」。

動詞句 (Verbal sentence)

　　以動詞做謂語的句子。

動態動詞 (Action verb)

　　表示動作的動詞，與之相對的爲靜態動詞。

參與者 (Participant)

　　指涉及或參與一事件中的個體。

專有名詞 (Proper noun)

　　用以指涉專有的人、地等的名詞。

捲舌音 (Retroflex)

　　舌尖翻抵硬顎前部或齒齦後的部位而發的音。如國語的/
　　ㄓ、ㄔ、ㄕ/。

排除式代名詞 (Exclusive pronoun)

　　第一人稱複數代名詞的形式之一，其指涉不包含聽話
　　者；參考「包含式代名詞」。

斜格 (Oblique)

用以涵蓋所有無標的格或非主格的格，相對於主格或賓格。

條件子句 (Conditional clause)

表條件，如「假如...」的子句。

清化 (Devoicing)

指濁音因故而發成清音的過程。如布農語的某些輔音在字尾會清化，比較 huud [huut] 「喝 (主事焦點)」 與 hudan [hudan]「喝 (處所焦點)」。

清音 (Voiceless)

發音時聲帶不振動的輔音。

被動 (Passive)

語態之一，相對於主動，以受事者或終點為主語。

連動結構 (Serial verb construction)

複雜句的一種，含兩個或兩個以上的動詞，無需連詞而並連在一起。

陳述句 (Declarative construction)

用以表達陳述的句子類型，相對於祈使與疑問句。

十二劃

喉塞音 (Glottal stop)

指聲門封閉然後突然放開而發出的音。

換位 (Metathesis)

兩個語音次序互調之程。比較布農語的 ma-tua「關 (主事焦點)」與 tau-un「關 (受事焦點)」。

焦點系統 (Focus system)

在南島語研究上，指一組附加於動詞上，標示主語語意角色的詞綴。有「主事焦點」、「受事焦點」、「處所焦點」、「工具/受惠者焦點」四組之分。

等同句 (Equational sentence)

句子型態之一，其謂語與主語的指涉相同，如「他是張三」中「他」與「張三」。

詞序 (Word order)

句子或詞組成分中詞之先後次序，有些語言詞序較為自由，有些則固定不變。

詞根 (Root)

指詞裡具有語意內涵的最小單位。

詞幹 (Stem)

在構詞的過程中，曲折詞素所附加的成分，可以是詞根本身、詞根加詞根所產生的複合詞、或詞根加上衍生詞綴所產生的新字。

詞綴 (Affix)

構詞中，只能附加於另一詞幹而不能單獨存在的成分，依其附著的位置可區分為前綴（prefixes）、中綴（infixes）與後綴（suffixes）三種。

十三劃

圓唇 (Rounded)

　　發音時，上下唇收成圓形而發的音。

塞音 (Stop)

　　發音時，氣流完全阻塞後突然打開，讓氣流衝出而發的音，如國語的 /ㄅ/。

塞擦音 (Affricate)

　　由塞音和擦音結合而構成的一種輔音。發音時，氣流先完全阻塞，準備發塞音，解阻時以擦音發出，例如國語的 /ㄘ/ (ts)。

滑音 (Glide)

　　作為過渡而發的音，發音時舌頭要滑向或滑離某個位置。

十四劃

違反事實的子句 (Counterfactual clause)

　　條件子句的一種，所陳述的條件與事實不符。如「早知道就不來了」中的「早知道」。

實現式 (Realis)

　　指已發生或正在發生的事件。

構擬 (Reconstruction)

　　指比較具有親屬關係之語言現存的相似特徵，重建或復原其原始語的過程。

貌 (Aspect)

　　事件內在的結構的文法表徵，可分爲「完成貌」、「起始
　　貌」、「非完成貌」、「持續貌」與「進行貌」。

輔音 (Consonant)

　　發音時，在口腔或鼻腔中形成阻塞或狹窄的通道，通常
　　氣流被阻擋或流出時可明顯的聽到。

輔音群 (Consonant cluster)

　　出現在同一個音節起首或結尾的相連輔音，通常其組合
　　會有某些限制；如英語只允許最多 3 個輔音出現於音節
　　首。

領屬格 (Genitive case)

　　表達領屬或類似關係的格。

十五劃以上

樞紐結構 (Pivotal construction)

　　複雜句結構的一種，其第一個句子的賓語爲第二個句子
　　之主語。如「我勸他戒煙」，其中「他」是第一個動詞「勸」
　　的賓語，同時也是第二個動詞「戒煙」的主語。

複雜句 (Complex sentence)

　　由一個以上的單句所構成的句子。

論元 (Argument)

　　動詞要求的語法成分，如在「我喜歡語言學」中「我」
　　及「語言學」爲動詞「喜歡」的兩個論元。

齒音 (Dental)

發音時舌尖觸及牙齒所發出的音,如賽夏語的 /s/。

濁音 (Voiced)

指帶音的輔音,發音時聲帶會振動。

謂語 (Predicate)

語法功能分析中,扣除主語的句子成分。

選擇問句 (Alternative question)

問句之一種,回答為多種選項中之一種。

靜態動詞 (Stative verb)

表示狀態的動詞,通常不能有進行式,如國語的「快樂」。

擦音 (Fricative)

發音方式的一種,發音時,器官中兩部分很靠近但不完全阻塞,留下窄縫讓氣流從縫中摩擦而出,例如國語的/ㄙ/ (s)。

簡單句 (Simple sentence)

只包含一個動詞的句子。

顎化 (Palatalization)

指非硬顎部位的音,在發音時,舌頭因故提高往硬顎部位的過程。如英語 tense 中的 /s/ 加上 ion 後,受高元音 /i/ 影響讀為 /ʃ/。

關係子句 (Relative clause)

對名詞組的名詞中心語加以描述、說明、修飾的子句,如英語 *The girl who is laughing is beautiful.* 中的 *who is laughing* 即為關係子句。

聽話者 (Addressee)

說話者講話或交談的對象。

顫音 (Trill)

發音時利用某一器官快速拍打或碰觸另一器官所發出的音。

讓步子句 (Concessive clause)

表讓步關係,如由「雖然…」、「儘管…」所引介的子句。

索引

國家圖書館出版品預行編目資料

魯凱語參考語法／齊莉莎作. —初版. —臺北
市：遠流, 2000〔民89〕
　　面；　　公分. —（臺灣南島語言；8）
參考書目：面
含索引
ISBN 957-32-3894-2（平裝）

1. 魯凱語

802.9963　　　　　　　　　　89000074